JN014044

Econo-Globalists 23

副島隆彦
Takahiko Soejima

金《きん》とドルは光芒《こうぼう》を放ち決戦の場へ

Gold will defeat current US Dollar

祥伝社

金《きん》とドルは　光芒《こうぼう》を放ち
決戦の場へ

まえがき

金《きん》の値段が、私が予測（予言）したとおり、この7月に大きく上昇した。

私の言うことを聞いて、今年の5月にさらに金を買い増した（あるいは買い直《なお》した）人たちまでは大きな利益を出した。他の人たちのことは知らない。人それぞれがすることだから、千差万別《せんさばんべつ》である。

人々の金銭欲望はすさまじい。「あのとき（手持ちの金《きん》を）売らないで、ずっと持っていたら今ごろ1億円になっていた」、「副島先生の言うとおり、金を早めに買い戻しておけば儲《もう》かったのに」と、悔やんでいる人たちの話は私の耳に入っている。

私は一体、こういう欲ボケ人間たちのために、ずっと自分の金融本を23年間も書いてきたのか。きっとそうだ。誰でも分かるとおり、私は〝金買《きんか》え評論家〟であるから、みんなの期待を裏切ってはいけない。ただし、私の本を買って読んでくれる人たちだけの世界のことである。今ごろ急に、初めて私の本に近寄ってきて「金《きん》を買っておけばよかった」と言う人たちのことなんか知らないよ。
今年、降《ふ》って湧《わ》いたコロナ馬鹿《ばか》騒ぎの中でも、店のドアをそっと開けて入ると、中にお客がたくさんいるレストランがある。この店のオヤジ（経営者）のような気持ちで、私はずっと金融本を書いてきた。朝、シャッターをガラガラと開けながら、「今日は何十人、客が来るかなあ」と空の天気を見ながら、その日の仕入れや算段《さんだん》を立てている店主と、まったく気持ちは同じで、もの書き業をやっている。

この半年間で私が一番大事だと思うのは、4月27日に、日銀・黒田東彦《くろだはるひこ》総裁が、「（市場から、いや本当は日本政府の財務省から直接）国債を無制限に購入する。必要なだけいくらでも買う」（新聞各社が報道）と言い切ったときだ。このことは1章で論じるが、こんな「いくらでも買って、お札《さつ》（現金、日銀券）を渡す。だから、財投債《ざいとうさい》でも大企業の社債でもCP《シーピー》（コマーシャル・ペーパー）でも、いくらでも持ってこい。無利子《むりし》・無担保《むたんぽ》で、無制限に買ってやる」と言ったのである。このことの重要性を、ちょっとでも頭のしっかりした人は本気で考えなければいけない。

金《きん》の国内小売価格は7,769円まで行った

2011～2020年（9年間）

出所　田中貴金属の資料から作成

日本経済に大変なことが起きている、という自覚がないなら金融や経済のことを考える資格も知能もないということになる。金融や経済の専門家ぶって、偉そうなことを言っているんじゃない！

世界の時流《じりゅう》に乗ってMMT《エムエムティ》（現代金融理論）に嵌《は》まるしかない若手の経済学者たちへの対応は、本書ではあまりできなかった。だが、彼らは国家社会主義《こっかしゃかいしゅぎ》（ムッソリーニ主義）への危険な道を歩いている、と私は見抜いている。

CP《シーピー》というのは、例えば三井《みつい》物産や大成《たいせい》建設の本社の資金部がガチャンガチャンと、約束手形（プロミサリー・ノート）の用紙1枚に、2000億円とかを打ち込んで、そのまま日銀に持ち込むということだ。ただの約手《やくて》だ。そうしたら無審査で、手数料ただで、2000億円の現金が大企業の口座に振り込まれる、ということだ。民間銀行だったら、日銀に有《あ》る自分の口座にこの金額を自動的に付け替える。これが〝無利子（ゼロ金利）・無担保〟の時代だ。企業財産に担保《プレッジ》として抵当権を付けられることがない、ということなのだ。

こんな恐ろしく馬鹿げたことを、米、欧、日の先進国の〝ダンゴ3兄弟〟はやっている。それを今や堂々と、恥ずかしげもなくやっている。中堅企業や中小企業であっても、県の財政局に「助けてください。資金繰《しきんぐ》りができない」と言いさえすれば、無利子・無担保で5億円ぐらいはすぐに下《お》りる。今年は法人税の分が、丸々戻ってくる。

私は何も憂国《ゆうこく》の士《し》ぶって、現世《げんせ》を嘆き悲しんで、悲観して屈原《くつげん》が汨羅《べきら》の淵《ふち》に身を投げた、というようなドラマチックを装《よそお》わない。さっさと行くところまで行けばいい、と冷ややかに見ている。

たった従業員5人、10人の製造業や流通業にも、無利子・無担保で7000万円の県の融資が下りたようだ。「そのお金で先生。オレは金《きん》を買ったよ。何に使ってもいい（使途《しと》を問わない）と言われたからさ」と聞いて、その社長と私は2人で笑った。世の中こんなもんだ。「まあ、5年で（元本《がんぽん》だけ）返せばいいんだから。その間に金《きん》がグーンと上がれば、我が社は儲かるよ」と言った。「ところで先生の予言は大丈夫でしょうね」と念を押された。私はグッと詰《つ》まったが、今さら後《あと》には退《ひ》けない。「大丈夫」。ただ、「法人買《が》いの場合は、処理が違うから、急激に値上がりしたところで一旦《いったん》手放しなさいよ」と忠告した。

私はこの本で、金《きん》を社長、経営者が、個人ではなく法人（会社、企業）でも買う、という人たち向けにも初めて書く。私が何も威張《いば》っているわけではないと分かるでしょ。

もうすでに他の金融評論家たちは全滅していなくなった。金融や経済の本は、もう書店に並んでいない。この分野《ジャンル》の本は滅んだ。私には競争相手がいない。自分の客（読者）になってくれる人たち相手に、さらに本当のことをガリガリ書くだけである。

副島隆彦

目次

2章

「金の取引停止」が迫っている　75

5章

国民を一元管理する菅《すが》政権

装丁／中原達治
図版／篠　宏行

1章

目先の目標は、金《きん》1g《グラム》 1万円だ

金《きん》は1グラム8000円近くまで上がった

まず、金《きん》の地金《じがね》が今年、激しく値上がりしたという事実から始める。金《きん》は、このコロナ騒ぎで世の中が沈滞《ちんたい》しているさ中《なか》に、世界的に値上がりした。簡単に書くと、1オンス（31・1グラム）がNY《ニューヨーク》市場（COMEX《コメックス》）で、ついに2000ドルを突破した。7月31日だ。国内価格は1グラム当たり、この値段を31・1で割って、為替の1ドル105円を掛けると出るから、自動的に6770円になった。小売はこれに700円を足す。

すると**国内の最高値段は、小売《こうり》で1グラム8000円の一歩手前まで行った**。P5（まえがき）のグラフのとおりである。7777（クワトロ・セブン）円と覚えればいい。だから100グラムの金《きん》の板で、80万円弱である。ここまで上がった。

私が「金を買いなさい」という本を書き続けて、やがて20年である。私は一貫して金を買うように勧《すす》めた。いつ売ったらいいか、なんか1行も書かなかった。ここでもうはっきり言うが、今ごろになって急に飛びついて、「ようやく金を買いました」と言って来たって、そんな人は、もう私の読者だとは思いません。私は、読者も選ぶ。

金《きん》の価格が高騰した
直近1年で見ると

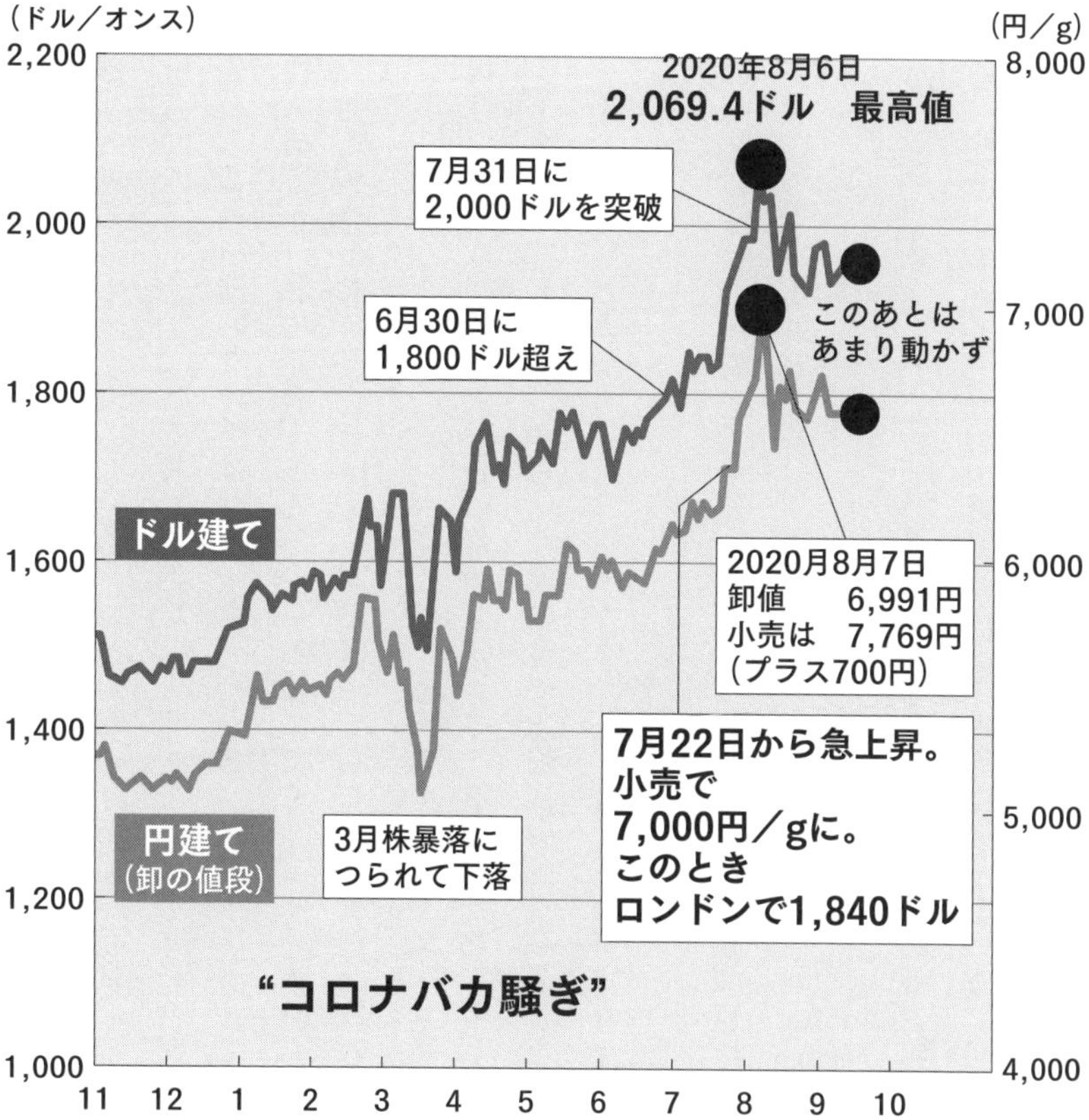

出所　COMEXの中心限月終値と、日本取引所グループ大阪取引所の資料から作成

ずっと持っている人は、儲かった

私は前著の金融本である『もうすぐ 世界恐慌』（2020年5月、徳間書店刊）の表紙の帯《おび》で「金《きん》は買えなくなる。急いで金を買いなさい」と書いた。この本は今年の5月1日発売だった。私の言うことを聞いた人々は儲《もう》かった。だから、私の本を読んで、はっと気づいて金《きん》を買った人までが、私の読者である。今ごろ慌《あわ》ててやって来る人たちはもうダメです。それから、金融本の巻末に載《の》せる株式一覧を書店で立ち読みするだけの人たちも負け組である。

私は、バクチ根性ではなく、堅実に自分の資産を守って、増やす人たち相手に金融本を書き、金融セミナーを開いてきた。だから、今度の金《きん》の急騰にも一喜一憂しない。今ごろになって「そろそろ金でも買おうか」、「もう買ったよ」というような軽薄《けいはく》な手合いは、あまり相手にしたくない。

それでも、それほどは手持ちの資金力の無《な》い人たちに対して、この私の連《つ》れない書き方では可哀想なので、この本でも助言する。

こんな人たちがいる。「うちの主人は副島先生の言うことを聞かないで、株ばっかり買って失敗しました」という手紙をくれる人たちがいる。「夫は損している。でも、私は手堅く金《きん》を買っていたので儲《もう》かりました」と書いてきた。「先生のことを、何だ、そのヘンな評論家は、とずっと言っていたのに、ついに黙りました」。

このように、「先生の本を読んできて、金《きん》で儲かりました。買ったときの2倍になりました。どうもありがとうございます」と書いてきた人がたくさんいる。そういう人たちが100万人ぐらいいるようだ。それはそうだろう。このことは、今では世の中で知られていることだ。今年の5月までに金を買った人は大変儲かった。このあと金価格は、少しは下押しするだろう。そしてそのあと、また上昇する。

3月に世界値段で、金《きん》1オンスは1400ドル台だった。それが3月から1500ドル、1600ドル、1700ドル、1800ドル、1900ドルと上昇した。一度、6月に1600ドル台まで落ちた。だが、またすぐに戻って、ついに2000ドルに到達した。P17のグラフにあるように、**8月6日には2069ドルの最高値を付けた**。日本国内の卸売《おろしうり》価格では、6991円（8月7日）になった。小売《こうり》は、卸の値段にとりあえず、単純に700円を足してください。そうすると7691円だ。この700円とは10％の消費税と手数料だ。為替が少し変動するので、8月7日の国内小売価格は7769円になった。7777と覚えなさい。1グラム8000円が目前になった。

この金《きん》1グラム7769円は、これまでのピークである。しかし金《きん》の国内価格は、来年の2021年に1グラム8000円を突破してゆくだろう。そして1万円になるだろう。1キロの板を持っている人は、それが1000万円になるということだ。金の値段のこれからの動きについては、P41以下で説明する。

日銀は730トンあるはずの金を、手元に持っていない

日銀は手元に金《きん》を持っていない。まったく持っていない。何ということだろう。日本政府は自分で金をまったく保有していないのだ。日銀が、日本経済新聞の取材に対してついに白状した。あっけなく白状したのである。長年、この事実を隠して黙り通してきた。日銀の旧館の地下の大金庫に、金の現物《げんぶつ》はまったくない。空《から》っぽということだ。他に何か紙キレの束《たば》を入れているのだろう。敗戦直後に米軍に接収されたときのまま、そのままずっと日銀の金庫は空《カラ》なのである。

金《きん》統計のW　G　C《ワールド・ゴールド・カウンシル》という嘘つきの国際組織

各国別の金保有量（2020年7月末現在）

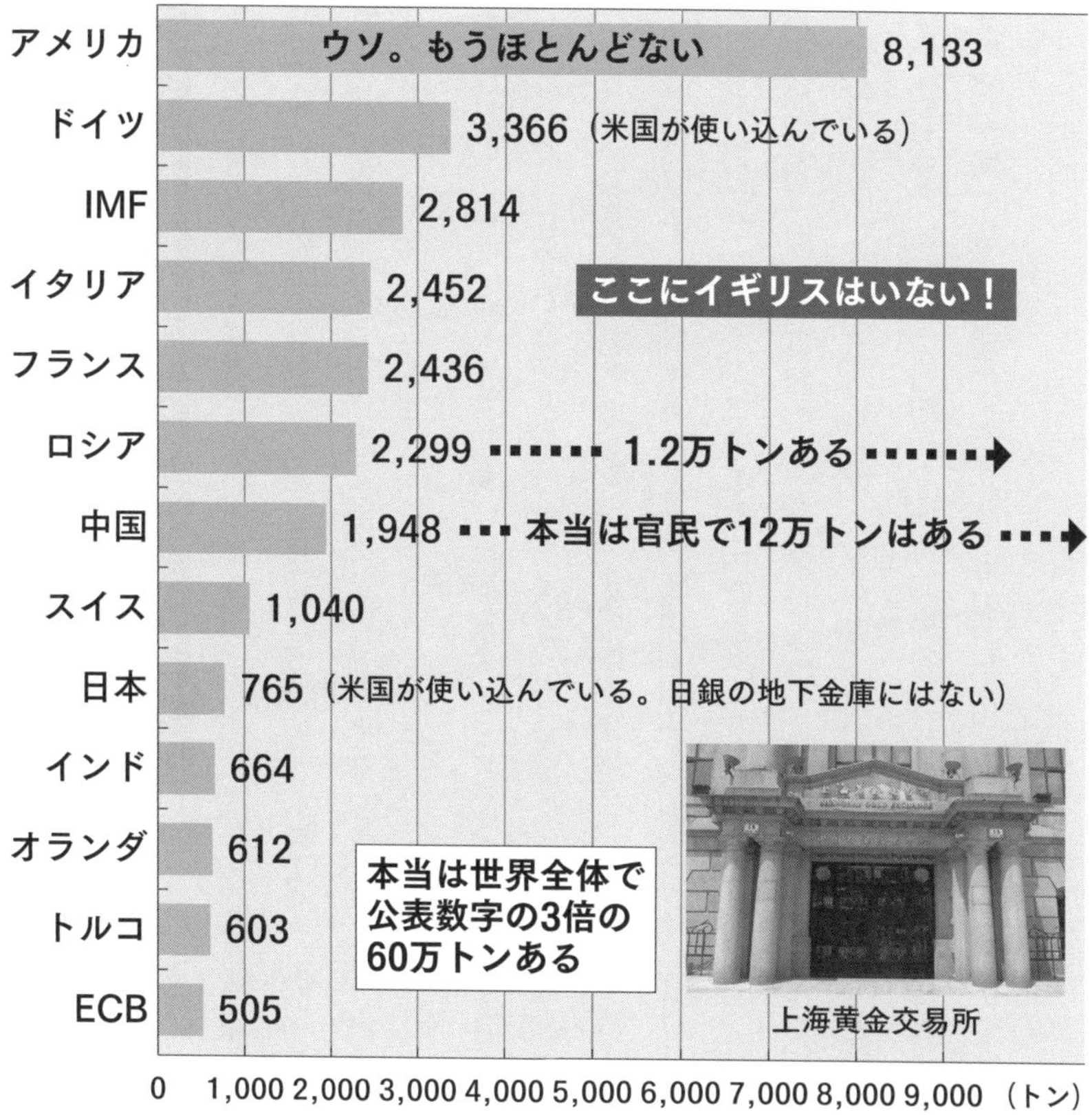

出所　WGC（ワールド・ゴールド・カウンシル）

「最高値でも売らない日銀の金、ニューヨークに眠る」

日銀が保有する730トンの金はどこにあるのか——。金に携《たずさ》わる業界関係者の間でこんな話題がたびたび取り沙汰《ざた》されてきた。日銀に直接尋ねてみると「大半は米ニューヨーク連邦準備銀行にある」とあっさり認めた。長らく非公表だった方針を変えたのだという。（略）

日銀が金を大量に持つのは、1942年までは同額の金と日銀券を交換できる兌換《だかん》制度を採《と》っていたためだ。日銀が資産として計上する「金地金《じがね》」は簿価《ぼか》では（引用者注。長年ずっと）4412億円（としてきた）。金の国際価格は、7月に初めて1トロイオンス2千ドルを超えた。時価換算すると5兆円を超す（引用者注。2000ドル÷31グラム×105円×730トンは≒5兆円だから）。

巨額の含み益を持つとはいえ、日銀の公式見解は「（金は）外貨準備《フォーリン・リザーブ》として保有しており、売る資産ではない」。「無国籍通貨」とも呼ばれる金《きん》は、中銀（中央銀行）にとって重要な準備《リザーブ》資産であり、（日銀が）売却に動いて金が値崩れすれば大量保有する中銀の財務内容が傷つく。日銀は少なくとも21世紀に入って（から一度も）、金の売り買いをしていない。

直近の10年を振り返ると、（世界各国の）中銀が金の買い手に回っている。目立つのはロシアと中国だ。金の調査機関ワールド・ゴールド・カウンシルによると、ロシアの金保有量は、20年3月時点で2299トンにのぼる（引用者注。この数字はウソだ。本当は、ロシア政府は1・2万トン持っている）。20年間で5・4倍に増えた。中国は1948トンと同期間で4・9倍となった。両国とも米国が牛耳る国際金融・通貨制度に対抗する手段として、ドルに代わる資産《アセット》である金《きん》を積極的にため込んでいる（引用者注。中国は本当は12万トンぐらい持っているだろう）。

これまで動かなかった日銀が、ニューヨークに眠る金を売るときは来るのか。仮にその日が来れば、米ドルを基軸《キー・カレンシー》（通貨）とする国際通貨制度への市場の不安をかき立てることになるのは間違いない。

（日本経済新聞　2020年8月6日　傍点と振り仮名と注は引用者）

この記事は「ワールド・ゴールド・カウンシル」の数字を使っている。しかし、私は去年の『米中激突 恐慌』でも書いたが、もう一度言う。ワールド・ゴールド・カウンシル

（WGC）は、いんちきで嘘八百の団体だ。国際組織を名乗っているが、実態は不明。日本にも事務所が有《あ》るが、記者会見などはしない。謎の組織だ。急いでその正体が調べられて公然となるべきである。
WGCは「金は地球上に18万トンある」と言い続けている。本当は私、副島隆彦が書いてきたとおり、60万トンはある。スイスとロンドン市場に、金《きん》が貯まっている。日本の天皇家の金《きん》も、バチカン（ローマ教会）と、スイス銀行とロンドンのBOE（イングランド銀行）に預けられている。

ただ後述するP100の記事にあるように、スイスの造幣局が、ついにニューヨークに金を運ぶのをやめた。5トンずつジェット機で、ニューヨークに金を送っていた。けれども、市場価格に2割ぐらいのプレミアム価格をつけて高値で買うと言っても、それでももうスイスもカナダも売ろうとしない。1オンス当たり400ドル上乗せする、と言っても売り渋っている。ニューヨークの金市場の胴元《どうもと》（ハウス）たちであるアメリカの大銀行に売る金《きん》がなくなりつつあるのだ。ブリオン（金塊）銀行だ、と100年間威張ってきたのに、もう金を大して持っていない。

リデノミネイション《redenomination》は
(通貨単位の変更)
4年後の、2024年

福沢諭吉

渋沢栄一

このとき、1万円が1000円になる

「日本政府、24年に紙幣デザインを刷新」

日本政府は、04年の前回の紙幣刷新は流通開始2年前の02年8月に発表した。今回は5年前と大幅に早い。……

(時事通信　2019年4月9日)

カナダ造幣局の場合は、飛行機の他に、現金輸送用の特殊な大型トラックで運ぶだろうが、それも嫌がって、アメリカに金を売らなくなっている。だから実際上、業者間《かん》の卸売《おろしう》りの段階で、金の売買（取引）停止の事態が着々と出現しているのである。

シカゴ・マーカンタイル取引所（CME《シーエムイー》グループ。レオ・メラメッド名誉会長、88歳）の子分（子会社）であるCOMEX《コメックス》（ニューヨーク商品取引所）とNYMEX《ナイメックス》（ニューヨーク・マーカンタイル取引所）は、金の価格決定権《フィキシング》を失いつつある。だからもうすぐワールド・ゴールド・カウンシルも、実体ゼロで消えてなくなるべきなのだ。

日本の商品《しょうひん》（コモディティ）先物《さきもの》業者は、このワールド・ゴールド・カウンシル（WGC）の発表（数字）を中心にして、お客にセールスしてしゃべっている者がたくさんいる。私の知っている人たちもいる。その連中は、はっきり言ってアホである。真実を知っていながら嘘八百で、騙《だま》しの値段でしゃべっているだけである。それから評論家の豊島逸《としまいつ》夫《お》氏や亀井幸一郎《かめいこういちろう》氏は、私を相手にしないだろうが、粉飾《ふんしょく》（ドレッシング）された業界の虚構の数字の上に築かれた金融統計に依存して、市場の動きを評論している。訂正されるべきだ。

私は、世界の金《きん》市場の大きな動きから反映される、日本国内の金の動向を凝視《ぎょうし》してい

1オンスあたりの国際金《きん》価格
(1975〜2020　45年間)

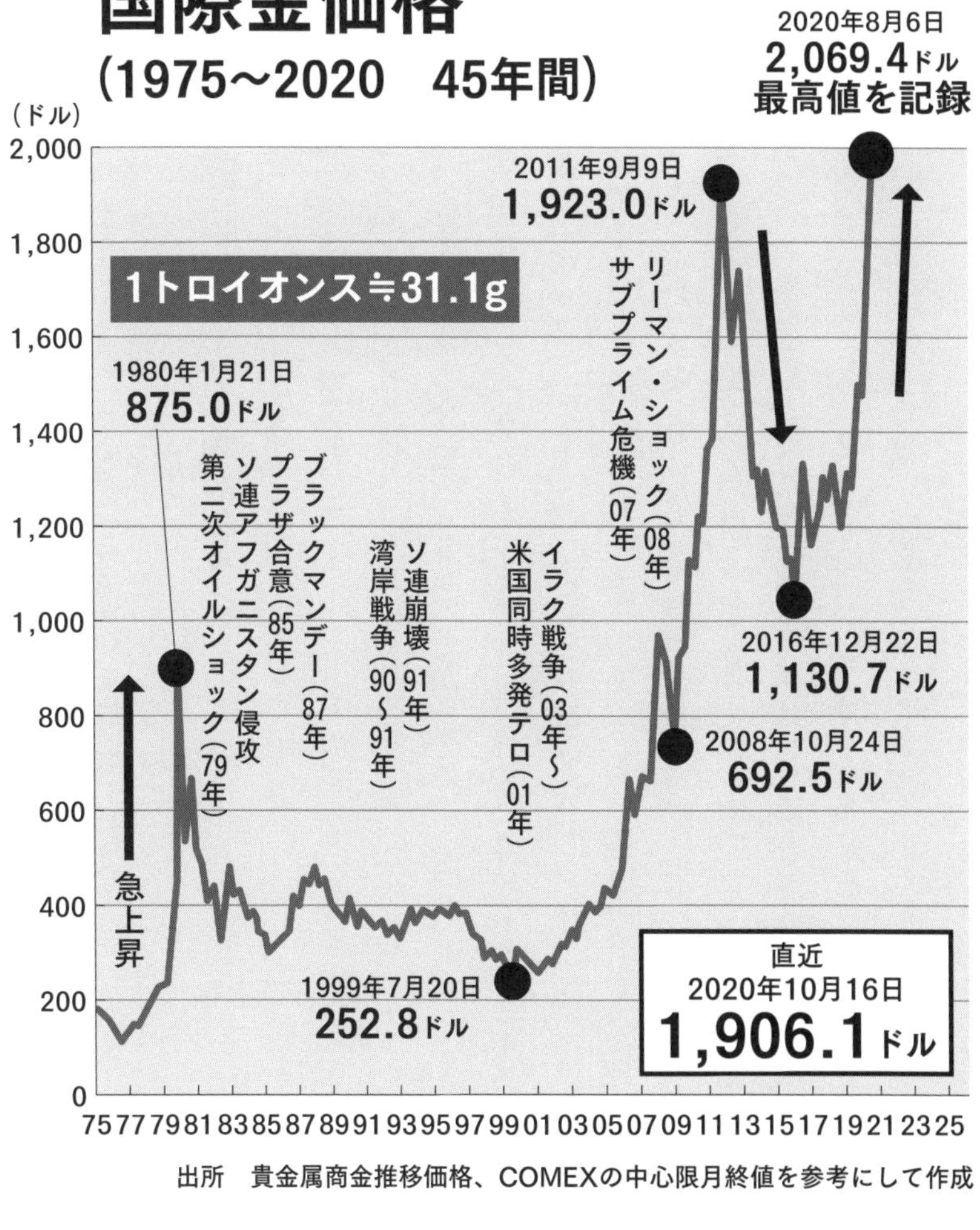

出所　貴金属商金推移価格、COMEXの中心限月終値を参考にして作成

る。誰かひとりでいいから、真実を書き続ける者がいなければいけない。

2024年に金融体制の大変動が起きる

金《きん》への投資は「いつ買ったか」が重要である。ずっと私の本の読者で、10年ぐらい前に金を買った人なら、そのとき1グラムは2500円ぐらいだった。だから、1キロの板《いた》で250万円だった。それが10年後の今は7500円だから3倍になった。

この人たちが「副島先生の本を読んで、ハッと思って、あのとき金《きん》を買って本当によかった」と大変喜んでくれている。「それでは、いつ売るべきなのですか」という質問には、この本の後ろのほうで書く。人それぞれの人生があるから、売り方も考えなければいけない。ただそれでも、私は「あと5年はじっと持っていなさい」と助言する。

なぜならあと4、5年で、今の世界の金融秩序が大きく変わっていくからだ。まずアメリカ（ニューヨーク）の金融市場に大混乱が起きる。アメリカ政府の財政崩壊（フィナンシャル・カタストロフィ）が起きる。2024年から2025年にかけて、この大変動が起きる。そのときには、現在の通貨単位が一桁狂《けた》う大きな動きが出る。

1グラムあたりの
金《きん》の国内小売価格
(1975〜2020　45年間)

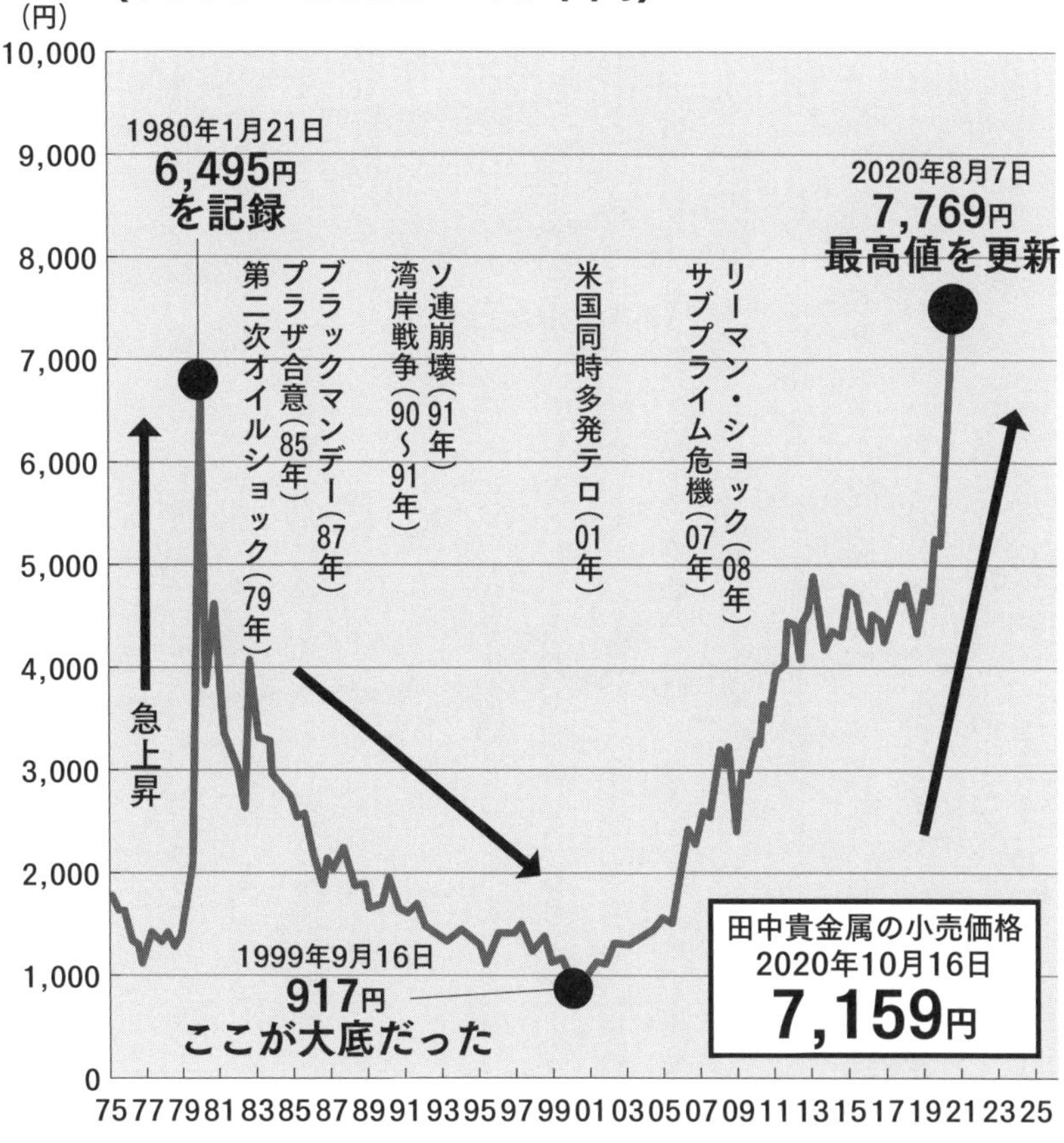

出所　田中貴金属等の資料をもとに作成

私は、前著では「金《きん》の値段は6倍になる」と書いた。このとき金は1オンス＝1450ドルだった。だから、その6倍で1万ドルになると予言した。そのあと、前述した金《きん》の大きな値上がりがあって、1オンス＝2000ドルに達した。これを日本国内の卸値《おろしね》に直すと、1グラム＝7000円になった。

その前に。NY金《きん》のそれまでの史上最高値だった、9年前の2011年9月9日の1923ドルを抜いた、という記録がある。7月25日だ。8月6日の2069ドル（今の史上最高値）のわずか12日前である（P27の長期45年間のグラフを参照のこと）。相場のグラフ（罫線《けいせん》。チャート分析と言う）をじっと見て、冷静な市場予測をするプロの相場師たちの目からは、このような新記録達成は、とりわけ重要な意味を持つ。そして6日後に2000ドル／オンス越え（7月31日）に達した、ということも重要である。

金《きん》価格が、2011年9月の1923ドルの記録を抜いた。これは9年ぶりのことである。2008年9月の〝リーマン・ショック〟のあとに、ニューヨークで金《きん》の急上昇がずっと続いた。このことがP27のグラフからよく分かる。そのころ金《きん》は、なんと1オンス

金ETF《イーティーエフ》(NY)の保有残高と1オンスあたりの国際金価格

出所　SPDR®ゴールド・シェアHPのデータとCOMEX期近値から副島が作成

（31グラム）＝692ドルという驚くべき安値を、瞬間的に付けているのである（2008年10月24日）。700ドルさえも割っていたのだ。今、私たちが騒いでいる2000ドル前後という高騰《こうとう》した値段から比べると、ウソのような安値である。

この金700ドル割れというのは、日本国内の値段では、1グラム3000円である。このころは円高（ドル安）が強く（1ドル80円台）、NY金《きん》はこのあと3年間、激しく値上がりして1900ドル台まで行ったのに、日本金《きん》の販売価格は、3000円がようやく4000円まで上昇した（2011年末）だけだった（P29の「金の国内小売価格　45年間」のグラフを参照）。このあとも、ずっと日本金《きん》は、ダラダラと4000円台を行ったり来たりしながら、今年の2020年まで来たのである。そして2020年に入ると、5000円から7777円（クワトロ・セブン）まで上昇した。

金とドルは、4年後の「決戦の場」へ

ということは、このあと8月7日の小売で1グラム7777円の史上最高値がどうなる

NY株（ダウ平均株価）の動き

出所　Yahoo!ファイナンス他

① 米中貿易戦争に続いて、② 生物化学《コロナウイルス》戦争。
その次は ③ サイバー電子戦争だ。

か、だ。10月に入って7000円を割った。なぜなら、卸売《おろしうり》（TOCOM《トコム》。東京商品取引所）の値段で6300円を割ったからだ。NY金《きん》は、このとき1810ドルの安値を付けている。

10月中旬の直近では、NY金が1906ドルであり、為替（ドル円相場）は1ドル＝105円だから、国内卸売は6469円だ。小売は700円を足す（もうすぐ750円を足すべきになる）ので7159円になっている（10月16日）。

このあと、もう暫《しばら》くは我慢の日が続く。私が「目先の目標、金1グラム＝1万円（小売）」を、この本で唱えているのは、伊達《だて》や酔狂《すいきょう》で言っているのではない。今の世界の政治と経済の動きを睨《にら》みながら、そして後述するニューヨークでの金地金の払底《ふってい》（品不足）状態を念頭に置いてのことである。

おそらく、またアメリカ政府（財務省）とFRB（ニューヨーク連銀《れんぎん》）とゴールドマン・サックスが組んで、金《きん》の暴落を仕掛けてくる。金ETF《イーティエフ》（先物）市場（P31のグラフ）でネイキッド・ショート・セリング（裸《はだか》のカラ売り）をまたしても仕掛けてくる。そのときは、500倍とかのレバレッジ（投資倍率）をかけて、金の先物市場（ETF《イーティエフ》）に

日本株（日経平均株価）の動き

直近2年

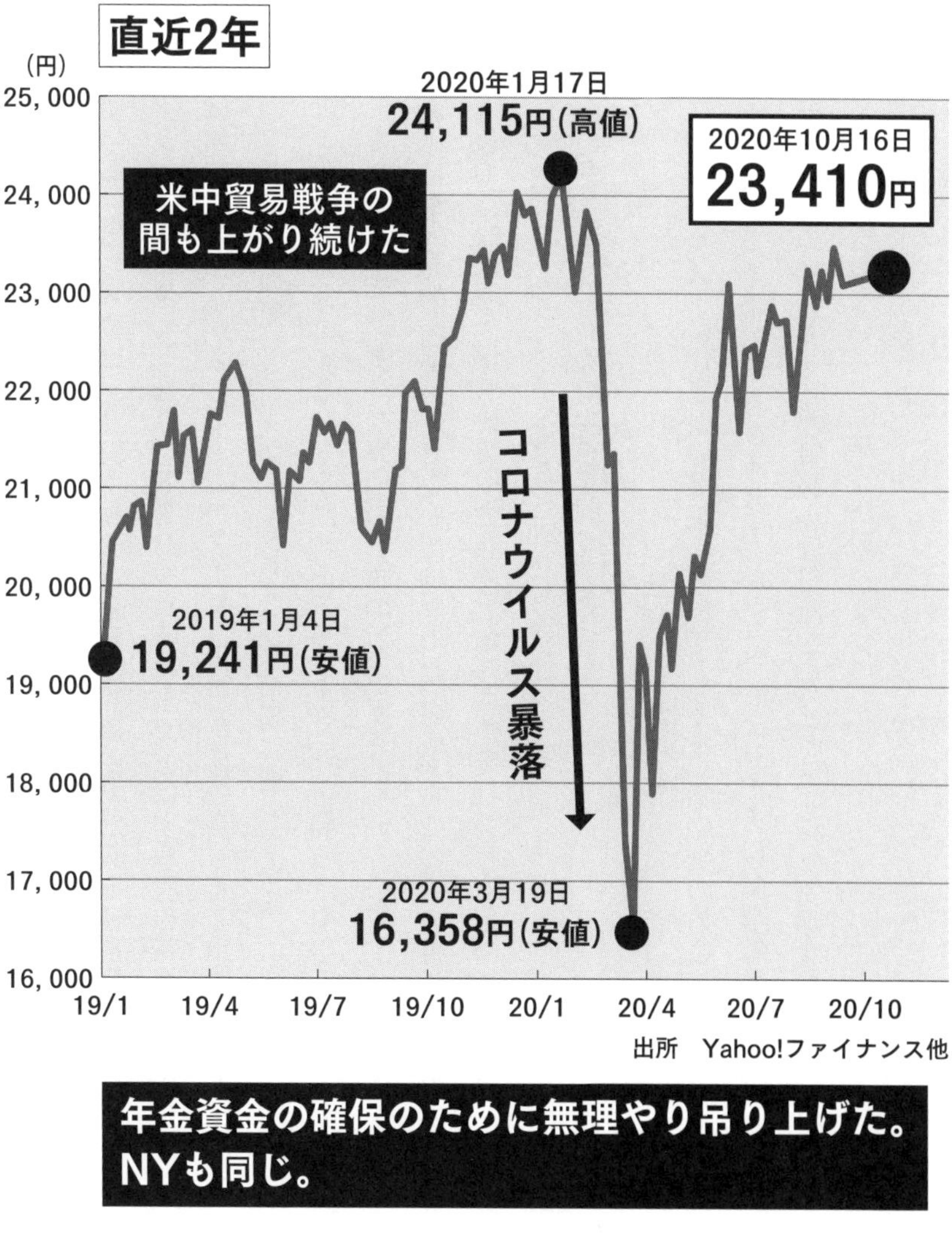

年金資金の確保のために無理やり吊り上げた。NYも同じ。

カラ売りを掛ける。その6割は、P31に載せた金ETFの主力であるSPDR（スパイダー・ゴールドシェア）市場で行なう。FRBやゴールドマンは、政府の特権（そんなものは、法律には無い）を振りかざして、このETF市場で担保《プレッジ》の金《きん》も差し出さないで、すなわち丸裸《ネイキッド》で、500倍の賭け金《かがね》を作り、それで先物市場に襲いかかる。

そのときは、1オンス＝1800ドル割れを狙ってくる。市場の冷《ひ》やし玉《ぎょく》などというものではない。ただひたすら、アメリカ国のドルの信用を守りたい一心《いっしん》で、金《きん》への憎《にく》しみに駆《か》られて、金価格を人為的に暴落させたいだけなのだ。だからこの本の書名である『金《きん》とドルは光芒《こうぼう》を放ち（ながら）決戦の場へ』なのである。決戦はあと4年の後《のち》である。

ゴールドマン・サックスが受けた打撃

それなのに、もうNY《ニューヨーク》には取引の保証（担保）となる現物《げんぶつ》の金の地金《じがね》（インゴット）は無《な》い。カナダ政府（造幣局）もスイスも、もうニューヨークに金地金を輸送したくない。P100の記事にあるとおり、市場価格の4割増しのプレミアム（割増金）を付けても、それでもNYに金《きん》を送らない。

かつ、どうも最近、ゴールドマン・サックス社が、元気がない。表《おもて》に出て来ない。大手ヘッジファンドの親玉たちは、メディアのインタヴューに出て来て答えているのに。この3月に起きたNYの株式大暴落で、ゴールドマンは相当に打撃を受けたのかもしれない。この記念すべき3月16日には、〝コロナ大暴落〟で、1日に3068ドルの最大下落《げらく》幅を出した。NY株の最安値（ドン底《ぞこ》値）は1万8213ドルであった（3月23日）。

そして、それに連《つ》れた日本株（東証《とうしょう》。JPX《ジェイピーエックス》）の最安値が、1万6358円であった（3月19日）。それが今では、NY株は2万8000ドル台まで戻し、日本株も2万3000円台まで、3月26日から急激に戻した（P33とP35のグラフを参照のこと）。これらは政府が主導した作られた相場であって、正常な値段ではない。株価などというものは、政府と権力者たちの決断で、どうにでも動かせるのである。私の言うことを信じられない者たちは、私の本から離れていった。

暴落したときは、みんな顔が真《ま》っ青《さお》になって狼狽《うろた》える。だが、そのあと「エイ、ヤー」で政府が音頭《おんど》をとって、株価を押し上げる。そうしないと、株の利益から捻出《ねんしゅつ》する老人たちの年金を払えなくなるからだ。これに、あのとき真っ青になっていた、いつもは超強《ちょう》気の大手ヘッジファンドの連中までが、アメリカ政府の意向に従順になって、「みんなでドッコイショ」と価格の吊り上げ係に回った。

「ヘッジファンド」なのだから、売《シヨート》りを仕掛けておいて、暴落したら儲かる、という仕組みの商売の手法になっているはずなのに。と、思っていたら、どうも買《ロン》い《グ》と売《シヨート》りを組み合わせて複雑な取引をやっている。ヘッジをヘッジしているのだ。それがヘッジ（穴埋め。損失回避）にならないで、かえって大きな損を出してしまう。だから、底《そこ》が抜けたような暴落のときは、ヘッジファンドの連中でも大損をするらしい。それで、裏から政府に「このままでは、ウチは潰《つぶ》れます」と泣きついて、政府の軍門《ぐんもん》に降《くだ》る。そこで政府の指図《さしず》に従って、「みんなでエンヤコラ」で、3月26日から粉飾《ふんしよく》の相場《そうば》操縦《そうじゆう》を行なって株価を吊《つ》り上げた。

それでも、どうも主役のひとつの、ゴールドマンの元気がない。

この金融業界の悪の親玉《ワル》で、〝ガヴァメント・サックス〟（GS）という悪名を持っている、半官半民のような（米財務省の職員たちが天下ったり、逆にGSの職員が政府部門のファンド・マネージャーになったりする。回転《リヴォルビング》ドアと言う）金融法人が最近、温和《おとな》し

金《きん》は、今の5倍の値段になる。4年後の2024年に（2025年かも）

世界値段

今 2,000 ドル／オンス × 5倍
＝ **1万ドル**

（前回、私は1,450ドル／オンス×6倍＝1万ドルとした）

国内卸値

今 6,000 円／g × 5倍
＝ **3万円／g**
になる

い。

日本でもさんざん悪いことをしてきたのがゴールドマン・サックスだ。今も、GPIF《ジーピーアイエフ》（年金積立金管理運用独立行政法人）や、日銀ETFや郵便貯金（ゆうちょ銀行。日本郵政グループ）の資金運用に喰《く》い込んで、甘い汁を吸っている。郵貯運用だけで550億円の手数料を取った、と報じられた。最近もコロナウイルス対策で、持続化給付金《じぞくかきゅうふきん》の窓口になった電通《でんつう》系のトンネル会社と組んで悪いことをしている。

ゴールドマンの日本法人には、長《なが》ーい間、副社長（ヴァイス・プレジデント）の肩書を持つ、日系人のスゴ味のある有名なオバちゃまがいる。この人のことをあんまり書くと、出版社にねじこんでくるらしい。私は、このオバちゃまのことを書こうとして、いくつかの出版社で文章を削られたことが何度かあるから、書かない。だが、そのうち決意を固めて書く。官僚タタきや自民党政治家タタきはかなりやるくせに、このアメリカの巨大金融法人の、日本での悪事のことは業界誌や金融雑誌でもなかなか書かない。それぐらい恐ろしいのだろう。

金《きん》は5倍に値上がりする

話を金《きん》に戻す。

これからは、金の値段はP39に掲《かか》げた表のとおり、**4年後には今の5倍になるだろう**。1オンスは今の1オンス＝2000ドルから、1万ドルになる。国内価格は、1グラム6000円（卸値）が5倍の3万円になる。金《きん》1キロなら3000万円である。

今は、金1キロは700万円である。それが数倍になる。ただし、その前に、それよりもずっと手前の目先の目標である1グラム＝1万円の壁を突破しなければならない。それは来年、2021年の前半であろう。私だって、ここまでしか今は言えない。

ただし4年後の2024年には、新円切り替え（リデノミネイション。リデノミ。通貨《つうか》単位の変更）が断行される。P25に載せた、新札への切り替えの写真のとおりである。この件については別のところ（P82）でも説明するが、今の「福澤諭吉《ふくざわゆきち》先生の1万円札」から「日本資本主義の立役者《たてやくしゃ》・渋沢栄一翁《しぶさわえいいちおう》の1万円札」への変更である。これはもう決まっていることである。確実に実行されるのである。まさか、そんな、などと寝言を言わないように。P25の1万円札をじっと見つめなさい。そして自分の頭で考えなさい。日銀券の変更なのに、「日本政府は２０２４度上期をめどに1万円、５千円、千円の新紙幣を発行する」（２０１９年4月9日、時事通信）となっている。政府と日銀は一体なのである。

4年後（敗戦後80年目）のこの新札切り替えのときに、世界経済は大混乱状態になっているであろう。この年、ニューヨークを、大恐慌（ザ・グレイト・デプレッション）が襲うだろう。アメリカ政府の財政崩壊（ファイナンシャル・カタストロフィ）と金融危機（マネー・クライシス）が相次いで起きる。トランプ共和党政権の、２期目の終わりの年である。このときに、日本政府は「１万円を千円に。千円を百円に」の、リデノミネイション redenomination を断行する。私はそのように強く予言する。すると、この大変動で、世の中のお金の取り扱いルールががらりと変わって大混乱が起きる。

このときである。紙幣《しへい》（お札《ノート》）の桁《けた》が一桁違ってくると、すべての物の値段を「１００円を10円に」、「15円を1円50銭《せん》に」と、換算しなければならない。国民生活に大きな影響が出る。

このときである。この通貨単位の変更を狙って、きっと大暴騰《ぼうとう》（激しい急上昇）しているであろう金《きん》の地金《じがね》を、処分するべき人は、上手に処分することを考えなければならない。

おそらくそのときは、「米１００ドルは10ドル」に下落しているだろう。２０３０年ごろから1ドル80円、60円、40円と「ドル暴落」を起こすだろう。アメリカの国力は決定的に衰退する。アメリカは世界覇権国《はけんこく》（ヘジェモニック・ステイト　the hegemonic state ）の地位から滑《すべ》り落ちる。ドルの信用は大きく下落する。すると、日本円の価値《かち》評価は10倍になり（激しい円高）、ドルの価値は10分の1になるのだから、合わせると、なんと１０0倍の力《ちから》になる、と早計《そうけい》で考えないでいただきたい。

貨幣《カレンシー》の値段《ヴァリユー》というのは、人間の生活の単位であって、それに過ぎない。だから日常で売り買いしている商品の値段（特に消費者物価）の、丸《まる》（0）がひとつ増えても減っても、国民は、その新日常《しんにちじょう》（ニュー・ノーマル）にすぐに慣れてゆく。人間が群《む》れ（集団）として生きているというのは、そういうことである。ヤミ市《いち》でも何でもできて、必需品を売り買いする。

だから、このとき、金《きん》のような実物《じつぶつ》資産（タンジブル・アセット）、すなわち実体《じったい》のある資産が光《ひか》り輝《かがや》くのである。私が、金が4年後には5倍になる、と大胆に予言しているのは、今の貨幣価値と、そのときの貨幣価値とを比べて5倍ということである。そのとき、お札《さつ》の使用価値がどれぐらいになっているかは、なってみなければ分からないのだ。

P81以下で後述するが、新札切り替えと、預金封鎖（bank《バンク》 account《アカウント》 clamp《クランプ》 down《ダウン》）と、リデノミが一挙に、一斉に政府命令で緊急に行なわれるときに、「金《きん》の取引停止」という措置も断行されるだろう。まさしく緊急事態宣言だ。今回のコロナ騒ぎで4月16日から実施された。5月25日に全面解除された。

そして「政府による強制的な金《きん》の買い上げ（没収ではない）」も行なわれるだろう。公《こう》所《しょ》に預けられている金《きん》が取引停止になる。**しかし、私たちが個人で握りしめている（保有している）金《きん》を、税務署員とかが無理やり家の中にまで押し入ってきて、強制的に没収する、ということなど絶対にできない。**このことを分かってください。

金《きん》はそのとき、世の中からうらやましがられる大変貴重なものになっているだろう。だから、たかが5倍と私は予言しているのだ。本当は50倍の価値《ヴァリュー》のあるものになっているかもしれない。なぜなら金は、この地上（地球上）に60万トンぐらいしかない、本当に希《き》少《しょう》（スキャーシティ）な貴金属《ききんぞく》（プレシャス・メタル）だからである。

世界中の各国の宮殿、王宮（今は博物館になっているものも多い）は、壁も柱も一面、金で葺《ふ》いている。純金製の王冠や装飾品が飾られている。そこに嵌《は》め込まれているダイヤモンドやエメラルドなどの宝石《ジュエリー》は、残念ながら、今では市場価格がない。ダイヤモンドは、4C《フォーシー》の高品質のもので、かつ10カラットから上の大玉で、3000万円（30万ドル）から上の高級品か、もしくは古いシャネルやエルメスなどの美術品になっているものにしか、本当の市場価格はない。王冠《クラウン》とかは売り物ではない。

円ドル相場の歴史から分かること

私の頭の中にある知識では、戦前（80年前）も敗戦直後も、米《べい》1ドル＝8円ぐらいだったのだ。明治、大正、昭和初期も、米1ドルは4円とか6円だった。幕末から明治の初めは、メキシコ1ドル銀貨（これはスペイン帝国が発行したもの）が、日本の金貨（小判《こばん》）1枚で1両《りょう》と等《ひと》しかった。1両小判が1ドルだったのだ。これが明治になって、そのまま1円＝1ドルとなった。この小判1両（1円）で、小者《こもの》や中間《ちゅうげん》という下級使用人（一応、武士）の1年間分の給料を払ったというから、今で言うと600万円ぐらいだったのだ。

する。これは人類の運命である

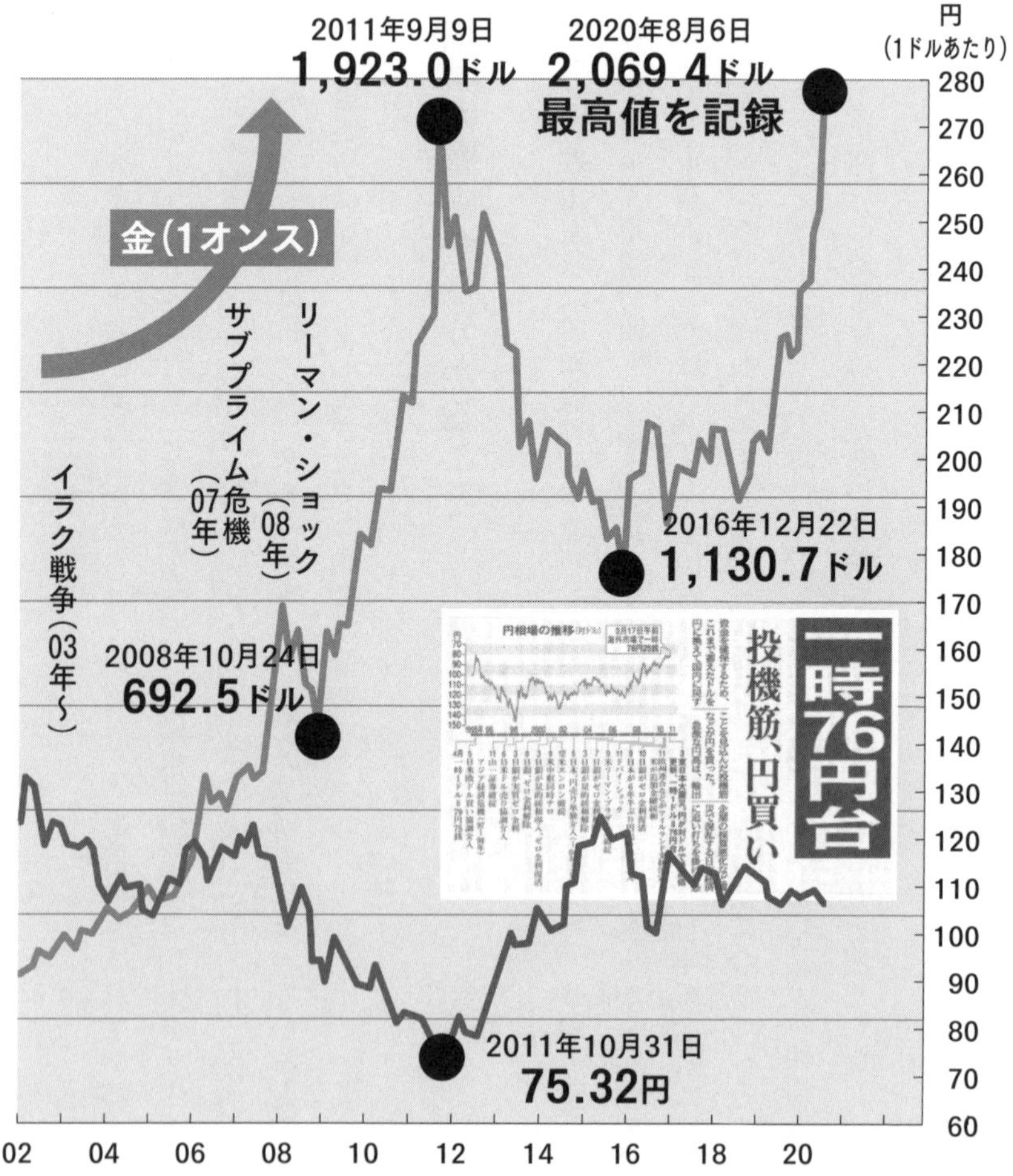

商金推移価格、COMEXの中心限月終値　(ドル円)東洋経済「統計月報」を参考にして作成

金《きん》は値上がりして、ドルは暴落
（1980～2020年の40年間）

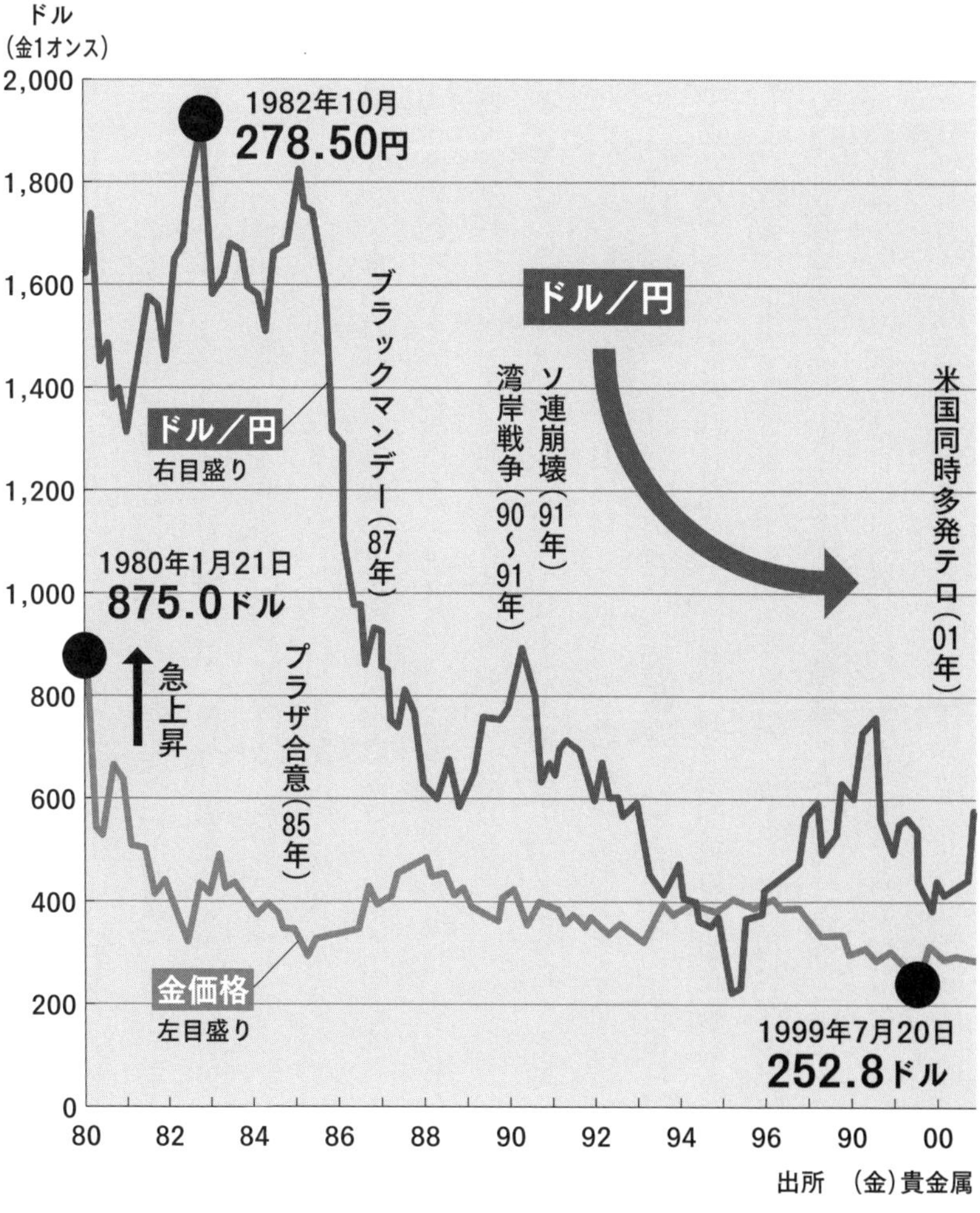

出所　（金）貴金属

1円（1両）＝1ドルは、その後、次第に円が弱くなって、昭和に入ると、1ドル＝6円とか8円になった。名宰相《さいしょう》そして蔵相になった高橋是清《たかはしこれきよ》（三井ロスチャイルド系の立派な政治家）が、昭和5年（1930年）に「金解禁《きんかいきん》（海外への金の流出）の再停止」を断行して金《きん》の海外への流出を防いだ。そして〝高橋インフレ政策〟を実行した。日本円（お札）を大増刷（ジャブジャブ・マネー）して、昭和恐慌（1930年から1933年。本当に悲惨だった。東北の農民が飢《う》えた）からの脱出を実行した。このとき、1ドルは6円だったのが8円に下落したのだ。このときアメリカとヨーロッパは、「これは日本政府による計画的な通貨ダンピング（円の切り下げ）だ」と怒った。

高橋が円を下落させる（円安政策）ことで、日本の工業輸出品（おもちゃや高級食器類）は世界中で大いに売れた。これで日本は、一時は昭和恐慌から脱して一息つけた。しかし、このあとは軍国主義（戦争経済《ウォー・エコノミー》）の嵐で、高橋是清は1936（昭和11）年の二・二六事件で反乱軍の将校に射殺された。ここにも、ひとつ歴史の謎と謀略がある。

このようにして、敗戦時（1945年、昭和20年）には、1ドル＝12円になっていた。ちなみに、この12円というのは最下《さい》級兵士（ただし職業軍人）の月給である。今で言えば、自衛隊員（公務員）の一番低い給料（自衛官候補生）が、おそらく12万円ぐらいである。だからピッタリと一致する。

この1ドル＝12円を、マッカーサー元帥《げんすい》の進駐軍《しんちゅうぐん》の軍政府（GHQ。日本はまだ独立していない）が、一気に1ドル＝360円という公定レートに決めた（1947年）。都市は焼け野が原で敗戦国であった日本は、その程度の超《ちょう》貧乏国に叩《たた》き落とされて、このようなきわめて低いレートに見積もられたのだ。嘘《うそ》みたいだが、円《えん》は360度だから360円にした、という説もある。

この「1ドル＝360円」という、私たちの世代にとっては当たり前だった現実が壊れ始めたのは、24年後の1971年8月の〝ニクソン・ショック（ドル・ショック）〟である。このときから、1ドルは304円。そのうち280円、220円と下落（円は上昇）し始めた。そして私たちが体で知っている、1990年代からは1ドル＝120円というニュー・ノーマル（新日常）になった。

以上のことは、P46－47の為替（ドル円相場）のグラフ（40年の長期。金《きん》価格も同じグラフに組み合わせた）で如実《にょじつ》に見ることができる。このグラフで分かるとおり、それでも2008年（NYでリーマン・ショック）から激しい円高が起きて、2011年10月31日には「1ドル＝75円32銭」という超円高《ちょう》が出現している。1ドルは75円まで下落したのだ。円は360円から75円まで、ジリジリと値戻しした、とも言える。この円高（ドル安）の趨勢《すうせい》（トレンド）は変わらない。

しかもそれは、9年前の東日本大震災、大津波そして福島第一原発事故（ごく微少な放射能漏《も》れ）が日本を襲った「3・11」のあとの、10月に付けた数字なのである。これが不思議と言えば、実に不思議である。大《だい》自然災害に襲われて、日本人は逃げまどっていた、というのに。世界から見たら、日本は「きわめて安全《セイフティ》な国」ということになった。そうでなければ、こんな1ドル100円割れの激しい円高は起きない。

どうも、このときは世界各国から、「日本国債を買うと安心で安全だ。しかも割増しの高い金利（利回り）が付くそうだ」と、なんと各国の政府や中央銀行が、イランや北朝鮮のような国まで含めて買いにきた、というのである。だから超《ちょう》円高になった。「津波と原発事故で大災害の、かわいそうな日本を助けてあげよう」というような、そんな生易《なまやさ》しい考えではないのだ。今でも、あの1ドル＝75円がなぜ起きたのか、不思議である。

もうひとつ、その17年前に、1ドル＝84円という超円高が起きたことがある（1994年7月）。これは理由がはっきりしていて、アメリカが日本叩きをやったのだ。アメリカはビル・クリントン政権だった。そのときの「日米自動車交渉」で、日本側が譲歩しない（あんな故障の多いアメ［リカ］車なんか、誰が買うか）から、ということで、1ドル100円割れの攻撃を〝日本痛めつけ〟として実行した。しかし、この円高の本当の狙いは、自動車叩きではなくて、日本の銀行叩きであった。日本は日米金融戦争でこのあとアメリカに完敗した。

このようにして、金《きん》の値段の決定にも為替の影響が大きくのしかかる。

「1ドルが10円になったら、先生。金の国内価格は超《ちょう》円高で大きく値下がりするのではないですか。先生の言う、金《きん》1グラム3万円（4年後）になんか、なるわけがないですよ」と、正確な頭脳で、私に質問してきた読者が数人いた。

たしかにそのとおりなのだ。いくらNY市場で、金《きん》が1オンス3000ドルになるにしても、日本国内では1グラム3万円（1キロなら3000万円）にはならない、と考えるのが自然である。だから、私は為替（ドル円相場）の話を長々としたのだ。昔、1ドルは本当に1円だったのだ。戦前は12円だった。それが今は、1ドル＝105円である。

通貨価値の大変動というのは、起きるときには起きる。それは戦後80年目になる（「世界経済の80年周期説」）２０２４年である、と私が予言するのは、そういう大混乱の到来、現出を予測してのことなのである。世の中、何が起きるか分かるものか。一寸先《いっすん》は闇《やみ》だ、というのは、厳《きび》しくこの世を渡ってきた人間なら分かることだ。いつまでも泰平《たいへい》の世《よ》（平和な世の中）が続くと思っている人は、ボンクラ人間である。

私は「近未来《きん》の予言者《プレディクター》」の看板を掲《かか》げて、体を張って言論商売人をやっている人間だ。そのつもりで私の本を真剣に読んでくれる人々を相手に、私は「注意しなさい。用心しなさい。警戒を怠《おこた》るな。心地《ここち》よい騙《だま》しに乗せられるな」、政府の「大本営発表《だいほんえい》」に騙されるな、とずっと書いてきた。

金《きん》を売るときの課税はどうなるのか

金《きん》を売るときは、買ったときの値段と売るときの値段の差額（利益）に税金がかかる。経費が認められるが、わずかだ。あとは課税率《りつ》が問題だ。簡単に言うと、利益の30％が課税される。だから「税金を取られるのがコワイ」と誰もが言う。金を買ったときの値段も分からないのに、売ると税務署員が家に来て、国民を平気でいじめる。こんなことをしてはいけないのだ。

そもそも特別に金《きん》の場合だけ、金融資産だと決めつけて、売り買いの差額に税金をかけることに法律上の根拠はない。金は鉱物（金属）の一種であるに過ぎない。しかも税務署員が来るのは金《きん》を5キロとか10キロ売った人から上の話であって、あまり気にしなくていい。金地金の1枚1キロや、2キロの場合は、過剰な心配をするな。

300万円とか500万円、儲かったぐらいのことで、国家がいちいち個人の財布の中にまで踏み込んで、税金で150万円とかを取り立てる、ということをしてはいけないのだ。例えば株の場合も小さな博奕《ばくち》であって、サラリーマンや真面目《まじめ》に働いている人たちに、300万円、500万円、儲けさせてあげるために国家がわざとやらせている制度のことを言うのだ。資本家（経営者）でない人たちにも、わずかな資本収益を味わわせてやろう、という仕組みなのである。株投資のプロ級になって、3000万円、5000万円を儲けたとか、「株でご飯を食べています」とかいうような人たちとは別の世界だ。

私の知っている人で、競馬の予想で食べている人がいる。それで年収が何千万円にもなるらしい。何千人もの会員がいてお金を払って、その人の競馬の勝ち馬予想を情報として買うのである。その人は天才である。

博奕は、持って生まれた才能である。どう考えてもギャンブルや投資は、生来《せいらい》、才能のある人がやるべきことだ。勝手に「自分には博奕の才能がある」と自惚《うぬぼ》れで思い込んで手を出すと、だいたい失敗する。勝手に普通の投資家は、これまでに1000万円から3000万円、損をしている。恥ずかしいから、人（知人、友人）にも言わない。だから、自分には才能があると勝手に思ってはいけない。そのことに何の根拠もない。

私は、ただひたすら金《かね》を儲けたい一心《いっしん》の人の邪魔をする気はない。ご自由にやってください。それでも私の本の、巻末の株式一覧しか読まないような人は、「あっちに行け」だ。私の読者ではない。もう少し真面目《まじめ》に、「この人はホントにウソを書かない人だ」と、私のことを信用するのだったら、私の本をしっかり読みなさい。これは、これまで私が書いてきた本の実績に依《よ》る。私は何も難しいことを殊更《ことさら》に書いていない。私は他の金融評論家や、金融雑誌に載る経済学者たちのような難解なことは書かない。彼らの書いていることが、あまりにムズカシイから、それをなんとか分かりやすく書いて説明しようとしている。そのために私がいる。こういうことを私は平気で書く。

今や金融と経済の本を書く力がある書き手がいなくなった。大銀行の調査部長やチーフ・ストラテジストあがりで、偉そうにしていた金融評論家たちは全滅した。自分の家1軒が残っていれば、まだいいほうだ。その人の奥さんがしっかり者だったから、家1軒は残っているのだ。だが、リーマン・ショック（2008年）以前は立派な事務所を開いて、お茶汲《く》みの女の子を雇《やと》って、テレビに出て有名人気取りで威張《いば》り腐《くさ》っていた金融評論家たちは、全滅した。証券会社や機関投資家（銀行や生保《せいほ》）のプロのファンド・マネージャーあがりも同じだ。彼らは自分の客を集めて「なんとかアソシエイツ」を名乗って、投資顧問業をやっていた。その客たちに大損をさせた。本人も、3億円から5億円の損を出して失敗して、それで事務所もたたんで、自分の家に引き籠《こも》って静かにしている。

これが日本の金融業界の現状である。株の投資なんかやるんじゃなかった、と悔《く》やんでいる人がたくさんいる。何百万人も現にいる。そういう人たちの真実の話は、金融雑誌や日本経済新聞は一切《いっさい》、書かないことになっている。何か、どこか、おかしいのだ。誰もこういうことを書く者がいない。私が書くしかない。

今の株価は吊り上げ相場である

今年2020年も、2カ月で終わる。アメリカでは、11月26日に感謝祭（サンクスギビング・デー）の休日があって、それからすぐにクリスマスだ。そして新年を迎える。11月3日の大統領選挙で再選されるであろうトランプ（次の4年間もやる）は、この感謝祭とクリスマスに向けて、何とか株価を維持する。今年の3月の株の大暴落のあと、ジャブジャブ・マネー（大《だい》金融緩和）をやって、無理やり11月の大統領選挙まで吊り上げた株価（NYダウ）の2万8000ドル台を維持した。これを年末に落とすわけにはいかない。

なぜなら、子どもに300ドルとか400ドル（3万円から4万円）の贈り物をしてあげられないと、親の立つ瀬《せ》がない、とアメリカ人は考える。「一家団欒《いっかだんらん》でクリスマスを過ごすことができました」というのが、アメリカ国民の理想なのだ。だから、トランプはそれを壊すことはできない。

アメリカでは国民の8割ぐらいが株式投資をやっている。貧困層まで株を買っている。たった10万円（1000ドル）、20万円（2000ドル）でも株を買う。そして貯金（預金）は一切《いっさい》しない。クレジットカードの決済《けっさい》とカード・ローンで、低い金利を払いながら生きている人たちが、いっぱいいる。そういう国民の気風なのだ。ちょっとでも資金があったら株を買う。サラリーマンでも退職年金生活者でも、「401k」の自分の年金で株を運用している。だから、トランプ政権は株を暴落させられない。

アメリカ（FRBと財務省）も日本（日銀）も資金を無制限供給

トランプ政権は、3月の株の大暴落のあと、大統領選挙のために無理やり4月から株価を吊り上げて、ついに2万8000ドル台まで戻した（P33のグラフ）。コロナ特別対策費の名目で、なんとFRB（4兆ドル）、財務省（2兆ドル）合計で6兆ドル（600兆円）の国家資金の無制限供給を発表した。その一部が必ず金融市場に流れ出るので、それで株価を上げさせた。アメリカ財務省が、国家の借金証書である米国債（米財務省証券。TB《ティービー》。トレジャリー・ビル）を発行して、それを中央銀行（FRB）に引き受けさせて、それで無制限にお札を供給している。

「FRB、6千億ドルの企業融資始動　未経験の損失リスク」

米連邦準備理事会（FRB）は6月15日、中小・中堅企業向けの「メインストリート融資制度（MSLP）」を開始した。新型コロナウイルス対策としての緊急資金支援は、これですべて始動した。総額4兆ドル（約430兆円）超と、中央銀行として（これまで）経験のない損失リスクも抱えることになる。

MSLPの実務を担《にな》うボストン連銀が15日、融資の受け付けを始めたと発表した。対象は従業員1万5000人以下の中堅・中小企業で、資本市場で資金を直接調達できない多くの米企業が、FRBの支援を受けられるようになる。資金枠は最大6000億ドル（注。600兆円）で、4兆ドル弱ある米企業（非金融）のローン残高の15%近くに相当する規模だ。

直接的な融資は民間銀行が担うが、その95%はFRBが設立するSPV《エスピーヴィ》（特別目的事業体）が買い取る（注。そして、ここから中小企業に配る）。形式的には間接融資だが、損失リスクの大部分はFRBが抱えることになる。融資期間は5年間で、当初の2年間は元金の返済すら不要だ。新型コロナで売り上げが減少した企業は、当面の

日銀発表のマネタリーベース。黒田（4月27日）発言「無制限に購入する。いくらでも増刷する」で歯止めがなくなった

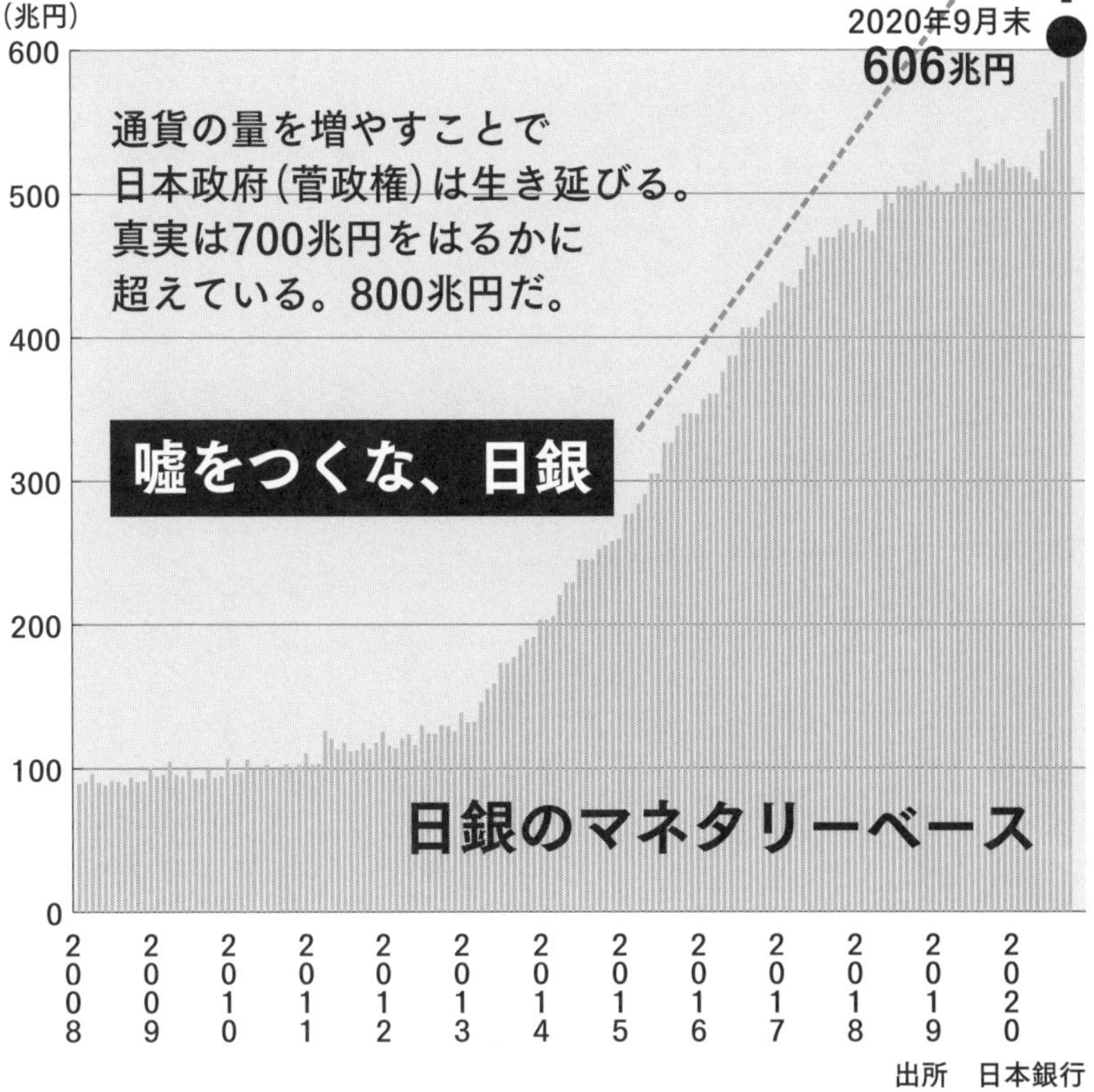

出所　日本銀行

運転資金を確保できる。
ＦＲＢは通常、融資などの取引（相手）を民間銀行に限っている。ただ、根拠法である連邦準備法では「異常かつ緊急時」に限って、ＦＲＢが企業や個人にも資金を出すことが認められている。今回の事業会社への融資は、２００８年の金融危機時にも踏み込まなかった極めて異例の措置となる。

（日本経済新聞　２０２０年６月16日）

これでＦＲＢの帳簿の買い取り資産（本当は負債だ）が、４兆ドルから６兆ドルに膨《ふく》らんだ。米財務省の隠れ（隠し）財政赤字も、今年１年だけで、真水《まみず》で１兆ドルぐらい膨らんだ。これは、本来はやってはいけないことなのだ。ＦＲＢのジェローム・パウエル議長も、嫌《いや》がっている。嫌がっている、を通り越して「もうどうにでもなれ」で、トランプ政権の強引な要求に従って、この緩和《イージング》マネーの垂《た》れ流しに応じた（４月30日）。
すると、即座に日本もこれに追随する動きに出た。日本も同じことをやった。日銀総裁の黒田東彦《くろだはるひこ》が、４月27日に記者会見を開いて発表した。

「黒田総裁「リーマン上回る危機」国債上限なく購入―日銀が連続金融緩和」

日銀は4月27日、金融政策決定会合を開き、追加の金融緩和策を決めた。黒田東彦総裁は会合後の記者会見で、新型コロナウイルスの感染拡大による経済的打撃に関し「非常に危機的な状況でリーマン・ショックを上回るようなネガティブな影響が出る恐れがある」と強い懸念を表明した。年間80兆円をめどとしている国債購入の上限を撤廃するなど、政府と協調して政策を総動員する。

企業が発行するコマーシャル・ペーパー（CP《シーピー》）や社債（カンパニー・ボンド）についての買い入れの上限をこれまでの計7・4兆円の約3倍となる計20兆円に拡大する。「（日本は）各国中央銀行よりも大きい金融緩和」（黒田総裁）を行い、企業の資金繰りを支援する。日銀は3月の前回会合でも緩和に踏み切っており、異例の2会合連続の追加緩和となる。

事実上の国債無制限買い入れに関し、黒田総裁は「必要なだけ、いくらでも買う」と述べた。その上で「財政政策との相乗効果」に期待感を示した。財政支援を目的に（日銀が）国債を引き受ける「財政ファイナンス」（ではないか）との見方は明確に否定し、「金融政策上の措置（である）」と強調した。
（時事通信　2020年4月27日　傍点と注は引用者）

日銀が無制限に国債を買って、無制限にお札《さつ》を供給する。これは恐ろしいことなのだ。「お金《かね》を無制限に出します」と日銀総裁が言って、それが通用する世の中になってしまった。アメリカもヨーロッパ（ＥＵ）も同じことを始めた。一体、何の根拠があって、裏づけがあって、空中から何かを摑《つか》み出すようにしてお金を作れる（マネー・クリエイション。貨幣創造《そうぞう》）のだ。人類は、ついにここまで来てしまった。そしてこれを「ニューノーマル」（新日常）だ、と皆で思い込む世界になった。

これの別の恐ろしい顔は、国家統制《とうせい》経済である。「いくらお札を増刷しても、今はインフレにならない。だから、いいじゃないか」と、専門家たちは理屈を言い合っている。経済の血液であるお金を、国民生活の必要のために出すのは当たり前、政府と中央銀行が出すのは当たり前だと、みんなで居直ってやっている。けれども、やがてこのことへの副作用（サイド・エフェクト）が起きる。反撃に遭《あ》う。天罰《てんばつ》が落ちる。それがいつ来るかの問題だ。それは４年後の２０２４年である。私はそのようにキッパリと予言する。

逆に言えば、２０２４年までは大丈夫だ。このまま行く。世界の権力者たちが決めたのだから。だから株をやっている人も、２０２４年の前までに、手持ちの株を整理すべき人は整理しなさい。そろそろ危ないなぁ、と思ったら、思ったところで売りなさい。それが賢い生き方だ。

トランプは、再選された次の4年間に、何とか株の暴落を防ぐだろう。それでもやっぱり、来年（２０２1年）の2月か3月には暴落が来る。それは覚悟しなければならない。なぜなら、ＦＲＢと米財務省が株価を吊り上げる〝フカシ玉《だま》〟の資金が尽きるからだ。今年、出した大盤振る舞いの6兆ドル（６００兆円）の効き目が切れる。だが、それでもトランプはアメリカの国力を維持するために、あの手この手でなんとかする。

さらにトランプは、西側諸国《ザ・ウエスト》（自分の子分の国々）に対して、「アメリカの軍隊が駐留して守ってやっているんだ。もっとお金を払え」と、外国から米軍の駐留費をせびる。あるいは、「アメリカ製の戦闘機やミサイルをもっと買え」と強要する。日本はその最たるもので、哀《あわ》れな国である。今度は、ＩＮＦ《アイエヌエフ》（中距離弾道ミサイル。３０００キロから５０００キロ飛ぶ）を「また5兆円（５００億ドル）買え」と菅義偉《すがよしひで》政権に迫るだろう。

繰り返すが、来年2021年2月か3月に株は暴落するだろう。だから気をつけてください。暴落の前に、その前兆が見えたら売りなさい。そのあとまた4月、5月に、底値で買い戻せばいい。それが株というものである。あるいは年内に、一番高くなったところで売るべきだ。年が明けてからでは、ちょっと遅いかも。株価の動きの予測（予言）は、4章でまた述べる。

1オンス＝2300ドルという予測

そしてやっぱり、金《きん》は買いなさい。買い増しなさい。ただしこれは、最低3年から4年の長期保有である。前述したとおり、金はドル建《だ》ての国際価格で、1オンス2000ドルを超した。2069ドルの史上最高値を付けた（8月6日）。

日本国内価格も、卸値（中値《なかね》）で1グラムが6991円、小売で7769円まで行った。これを私は7777（クワトロ・セブン）円と覚えなさい、と書いた。8000円が間近だった。10月16日現在、1オンスは1906ドル、国内の小売は7159円である。この値段が攻防線である。そして来年、株が暴落するあたりで金《きん》がまた買われて高騰《こうとう》するだろう。だから小売で1グラム7000円割れが出現するようだったら、今のうちに金を買い増しなさい。

以下の記事は、ゴールドマン・サックスのアナリストが、金《きん》1オンスは2300ドルまで上昇すると予測したことを伝えている。金の世界的な売り買いの様子などは、後ろのほうで説明する。世界の金市場では、今、恐ろしいことが起きている。

「米ゴールドマン、金価格の12カ月見通しを2300ドルに引き上げ」

米金融大手ゴールドマン・サックスは7月28日、金価格の12カ月見通しを1トロイオンス＝2300ドルに引き上げた。安全資産である金にとって好環境が続くほか、米実質金利が一段と低下する見方が追い風になるという。

ゴールドマンによると、「(7月からの）金価格の急騰は米連邦準備理事会（FRB）が政治的緊張を考慮してインフレ・バイアスにシフトする可能性があるとの見方や、新型コロナウイルス感染が拡大するという予想で引き起こされている」という。

金現物は年初来で27％上昇。安全資産への買いが増加しているためで、28日には1980・57ドルと最高値を更新した。

ゴールドマンは「各国政府がそれぞれの不換通貨《フィアット・マネー》を切り下げ、実質金利を過去最低水準に押し下げている現在のような環境下では特に、金は最後の投資先《ザ・ラスト・リゾート》になるとの見方を（私たちは）長らく主張してきた」と指摘。基軸通貨《キー・カレンシー》としてのドルを巡る懸念が表面化し始めているとした。

また「経済回復に向け（アメリカは）インフレ懸念が引き続き高まっており、ドルが構造的に弱体化する中で、金の上場投資信託（ＥＴＦ）にヘッジ資金が引き続き流入していることから、金はファンド・マネージャーによってドルヘッジとして利用されていると見ている」とした。

銀価格も、３・６・12カ月見通しを、１トロイオンス＝30ドルに引き上げた。「金価格の上昇と、太陽エネルギーを中心とする産業需要の改善見込みが背景」という。

（ロイター　２０２０年７月28日　振り仮名と注は引用者）

このように、本当は金《きん》が嫌いなはずの（なぜなら自国のドルの信用を守る係だから）ゴールドマンでさえ、１オンス＝２３００ドルまで行く、と予想した。これを日本の小売にそのまま直すと、１グラム８５００円である（為替は１０５円とする）。

日本のコロナ経済危機対策の事業規模と財政支出

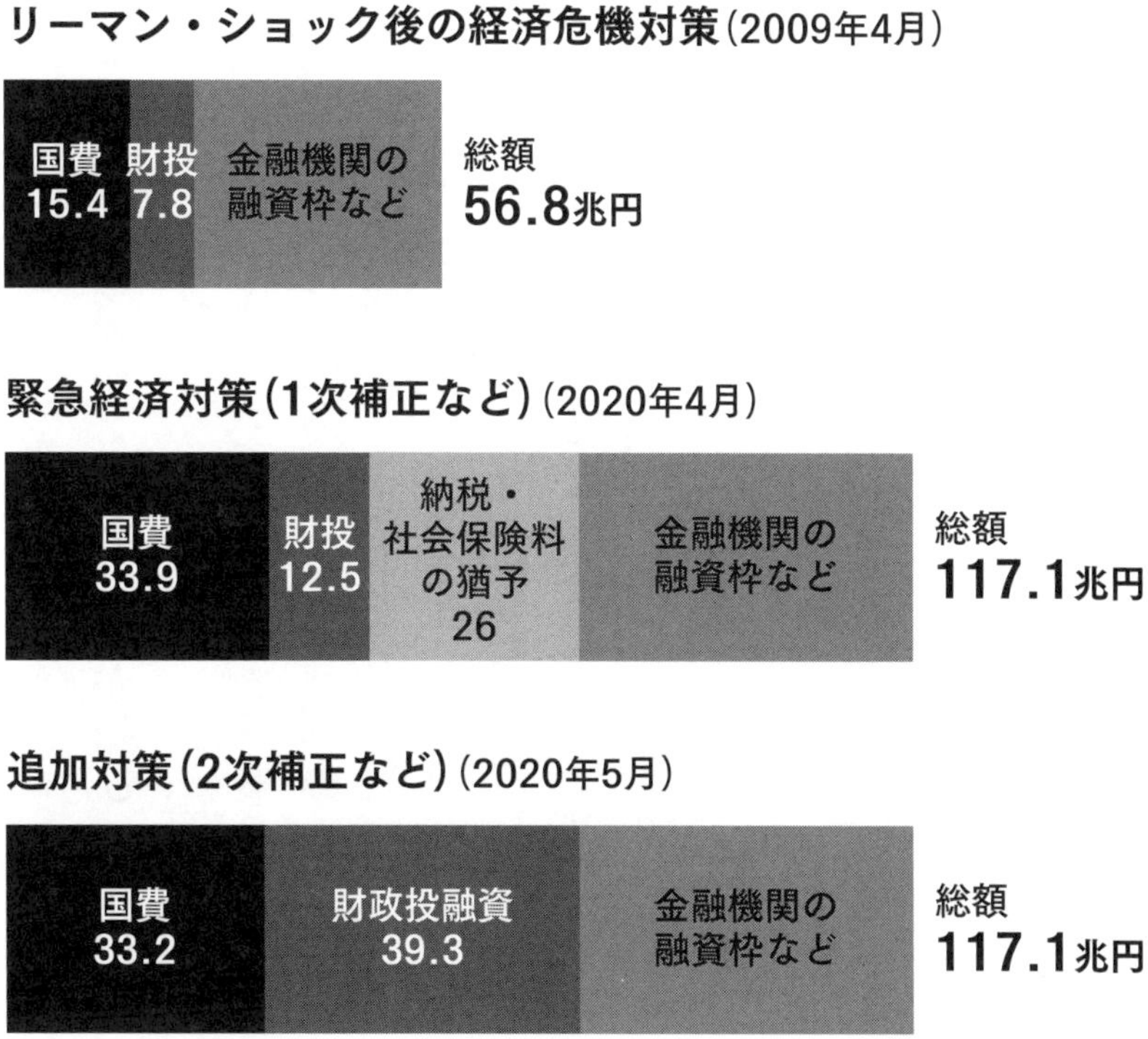

出所　NHK(2020年8月2日)

合計で 234兆円

真水は40兆円ぐらい

ＭＭＴ《エムエムティイ》理論と「ベイシック・インカム」が結びついた

新しい最新式の経済学の理論で、ＭＭＴ《エムエムティイ》 Modern《モダーン》 Monetary《マネタリー》 Theory《セオリー》 という新理論が出ている。「現代貨幣理論」と訳されている。日本でも去年（２０１９年）から騒がれ出した。日本の若手の40代の経済学者たちが、真っ先にこれに飛びつき出した。若い官僚たちも、これにすり寄りつつまる。

このＭＭＴは、アメリカでは「会計帳簿（会計学）の見方、考えと同じものとして、国家財政を考えればいいのだ」という子どもじみた考えから生まれた。日本では、ただちにこのＭＭＴが変形して、ヨーロッパ発祥の「ベイシック・インカム」の考えと結びついた。すなわち、国（政府、行政）はすべての貧困層（貧乏人）に、月10万円ずつ払いなさい、という理屈だ。すでに堂々と出てきた。とたんに、ワルの竹中平蔵《たけなかへいぞう》が、テレビで「すべての国民に、ひとり7万円（夫婦で14万円）配る。その代わり、国民年金も生活保護もなし（ただし富裕層はこれを返させる）」（9月23日、テレビ出演）と言い出した。まったく、何というヤツだ。

日本政府はコロナ騒ぎのときに、国民1人あたり、1回こっきりだが10万円を配った。これは口止め料（騒ぐな料）だ。10万円を申請して受け取ったのだから、「お前も共犯者だ。騒ぐな」と。こんな端金《はしたがね》で国民を黙らせた。たった10万円でも、喜んでいる人がたくさんいる。これで、1・2億人の人口で12兆円かかっている。小金持ち層（資産家）にとっては、10万円なんて本当に端金《はしたがね》だ。それでも、みんなが貰《もら》う。小金持ち層は、1000万円とか2000万円の所得税やら固定資産税（不動産税）を取られているのに。

10万円を貰って喜ぶのは、ワンコロの発想である。ワンコロやネコちゃんが餌《えさ》を貰う発想だ。見苦しい。ところが私も貰った。まるで、進駐軍の米兵にチューインガムやチョコレートを喜んで貰った、敗戦後の日本人と同じだ。惨《みじ》めな感じだ。しかし、本当に貧乏で年収200万円にも満たないような層に、お金が10万円行くと、すぐに使うから景気が上向くというのだ。3章のP151の表他に「マス層（下流国民）」という言葉で出てくる。

商店主や零細《れいさい》企業や個人事業主たちには、持続化《じぞくか》給付金と言って、100万円が出た。200万円もらったという人もいる。真実はよく分からない。中小企業（と言っても従業員300人が基準だから、立派な企業だ）から上は、法人税がすべて、今年はタダになるらしい。らしい、としか言いようがない。こういうコロナ馬鹿騒ぎの緊急時には、摑《つか》み金《がね》、盗み金、口止め料だから、何が何だか分からないのだ。その総額はP67に載せた、政府が大《だい》ドンブリ数字の2回の緊急対策費（補正予算）の合計で、234兆円（2・2兆ドル）である。

この表の中に「（緊急）融資枠」というのが140兆円ぐらいある。法人税をきちんと納《おさ》めているまともな企業は、それこそ「いくらでも無制限に無利子・無担保で」政府資金を借りられたようだ。これで企業の倒産、破綻を防いだ、というのである。ただし、これらは3年か5年で政府に返済しなければいけない。タダ金《がね》ではない。

こう考えると、どうも日本政府が、コロナ対策で財政政策（フィナンシャル・ポリシー）として出した真水の資金は40兆円ぐらいらしい。先述した「国民全員に10万円で、計12兆円」が、ここに入っている。あとは見《み》せ金《がね》で、世界に向かって「日本はこんなに、国民のために緊急支援を行ないました」と威張ってみせただけなのだ。アメリカが6兆ドル（600兆円）なのだから、日本は2・2兆ドルぐらい出したことにしなければ格好《かっこう》がつかない、で決められたお手盛りの数字だ。

アメリカはコロナ対策で6兆ドルとぶち上げたが、これだって、本当は従来の計画どおりに送電線（グリッド）を修理したり、橋やダムの補修費である。発電用のダムの底に溜まった泥をブルドーザーで取り除く、軍人（工兵隊）たちの経費にも支出される。実際は、失業対策費（福祉のお金《かね》）である。アメリカの場合、この失業給付金を3000万人（多くは黒人と低所得者）に出さないと、暴動《ライオット》が起きる。暴動という名の商店街の略奪行為である。

アメリカの世界支配の終わり

アメリカは、この3月に大統領令で、アメリカ国民1人当たり、最大1200ドル（13万円）の現金（小切手）給付を決めた。子どもは500ドルだ。年収が9万9000ドル（1000万円）を超えると貰《もら》えない。このあと8月にも、トランプ共和党が議会に懸命にお願いして、追加（第2弾）で、1人1200ドルを出すことにした。

アメリカ民主党はトランプへの嫌がらせで、この給付金に反対しようとする。ところがアメリカ民主党は、貧乏人のための党だから、反対できない。だから議会の承認が下りて、給付金を出した。そしてまだまだこれを続けていく。だから、やっていることは「M

MTと結合したベイシック・インカム」と一緒なのである。

アメリカ共和党は保守党だから、「国民は自分の収入の中で生活しなさい」とか、「貧乏な人は貧乏な人らしく暮らしなさい。金持ちは金持ちらしく。慈善活動もしなさい」とする。しかし、貧困層向けのお金を出さないと黒人が暴れ出して、暴動が起きる。スーパーマーケットや大型商店を壊して商品を盗み出す。白人の警官たちは、それを捕《つか》まえられない。ボーッと見ているという。泥棒たちを捕まえようとして発砲したら、えらいことになる。自分が非難されて起訴されて、刑務所に入ることになる。

だから、トランプが再選される本当の本当の理由は、「ラー・アンド・オーダー」law & order「法と秩序を守れ」で、特に白人の主婦層や年金暮らしの白人老人たちが、「ここまで黒人を暴れさせちゃいかん。アメリカの国がいよいよおかしくなる」と、重低音で（黙っているが）怒っているからなのである。

それで、「やっぱり、共和党のトランプに大統領をやらせるべきだ」となった。日本のテレビ、新聞は、こういう本音の、アメリカ人の本当の意見をまったく報道しない。リベラル派（貧しい者の味方）を装わないと、とにかくテレビ、新聞はカッコウがつかなくなってしまっている。カッコウだけのことで、本心は「私たちキャスターは、テレビで女優のように振る舞える特権階級なのよ」なのだ。

「アメリカは、これからもっと経済が厳しく、景気が悪くなる。だから、やっぱり共和党にやらせなければならない」という考えだ。「民主党にやらせたら、もっとひどくなる」である。だから、「もっとひどくなることをアメリカ国民は選択してはいけない」という判断である。ただし、その次の2024年の大統領選挙は、経済大混乱の中で、民主党の若い大統領が出てくるのではないか。だが、もうそのときは、アメリカの覇権《ヘジエモニー》（世界支配）は終わっている。

2章

「金の取引停止」が迫っている

これからの金の値段

Ｐ52の続きで、金《きん》の価格の動きがこれからどうなるかを、さらに書く。

金《きん》は８月７日にピークを付けた。このとき、国内の小売価格で1グラム７７６９円で、これが最高値である。この少し前から金《きん》の国内値段が、「１９８０年1月21日に付けた1グラム６４５９円を抜いた。抜いた」と、金価格の高騰がプロたちの間で騒がれた。金《きん》は、実に40年かけて最高値を抜いた。「金は青空天井《てんじよう》になった。もっと上がるぞ」と、プロ投資家たちが予想した（左のグラフを参照）。チャート分析（罫線）で相場を読んでいる人々は、投資のプロの眼力を持っている人たちだから正しい。

小売と卸《おろし》の値段は７００円違う。これを理解して覚えてほしい。10％の消費税と、これに手数料３万円とかの分が加わる。以前は、卸の値段は、日本橋兜町《かぶとちよう》に今もある東京商《しよう》品《ひん》取引所（ＴＯＣＯＭ《トコム》）で決まっていた。ところが東京商品取引所が扱っていた貴金属（金《きん》も当然含まれる）の先物《さきもの》市場は、今年（２０２０年）の７月27日から、大阪取引所（ＯＳＥ《オウエスイー》）に移管された。ＴＯＣＯＭが、２０１９年11月に、東証《とうしよう》も含む日本取引所グループ（ＪＰＸ《ジエイピーエックス》　Japan Exchange Group と言う）の子会社になってしまったからだ。

金の国内卸《おろし》価格は今年の3月から急上昇した
（直近2年）

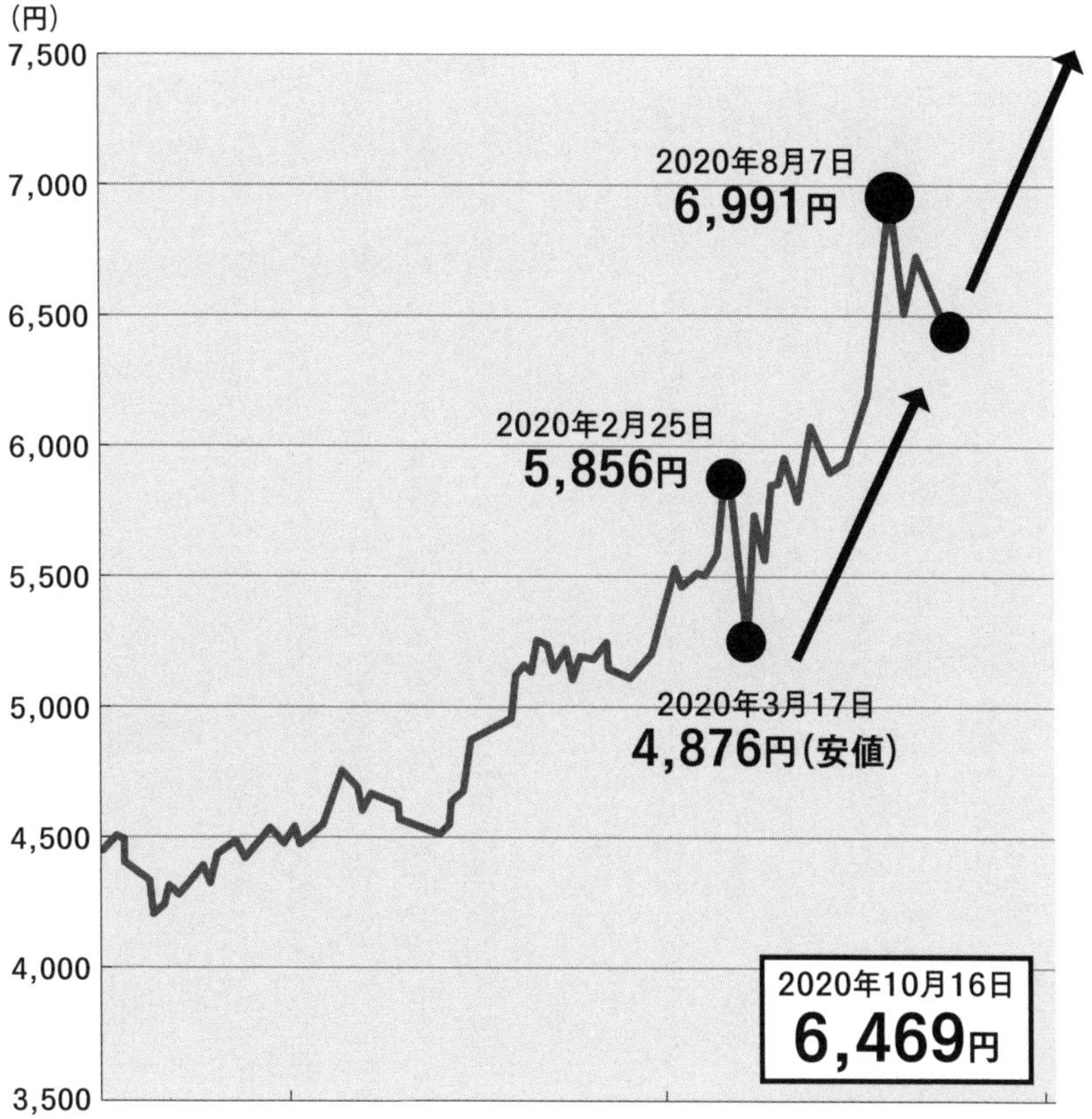

出所　日本取引所グループ・大阪取引所の資料から作成

大阪取引所もＪＰＸの子会社である。金の先物市場はＪＰＸの一部門として東京から大阪に移された。

だから今は、このＪＰＸの一部門で商品先物《さきもの》取引をやっている。しかし、あまり人気がない。取引高がまったく伸びない。日本の国力の衰退を表わしている。そして金《きん》の取引（売買）を財務省と金融庁が統制して、なるべく日本人に貴金属の売買をさせないようにしているからである。数年後にやってくる金融危機を見越して、金《きん》取引を停止する動きの前触れだ。統制経済（コントロールド・エコノミー）への露骨な動きがもう始まっている。

それでも今はまだ、卸の値段、すなわち商品先物市場で、直近の10月19日で1グラム6400円である。100グラムで64万円、1キロなら640万円である。これはニューヨークのＣＯＭＥＸの動きに、ほぼ連動したものである（左のグラフ）。

3月には金《きん》1グラムは5000円ちょうどだった。これが8月7日に、7000円目前の6991円まで行った。ニューヨークで前日に1オンス2069ドルを付けたときだ。つまり2000円、跳《は》ね上がったということである。この今年3月にニューヨークでも東

N Y金《ニューヨークきん》も、
今年3月から上昇した
（直近1年）

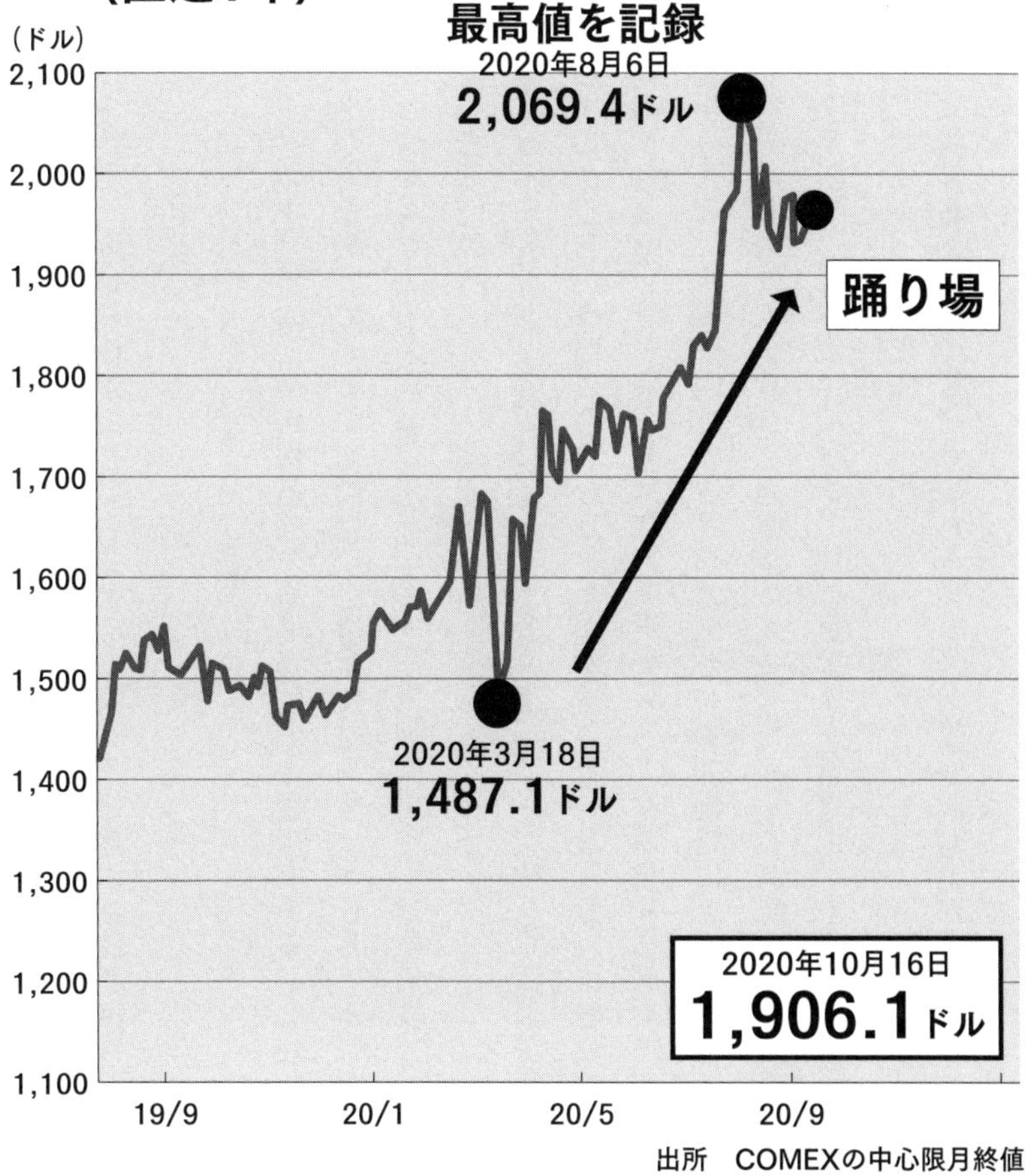

出所　COMEXの中心限月終値

京でも株の大暴落があった。今は株価が戻しているように見える。株の話はP186以下で説明する。

今はまだニューヨークの先物市場《フユーチャー・マーケット》が作る金《きん》の値段が国際金《きん》価格である。しかしあと数年で、ニューヨークが力を失って、金の値段は、上海黄金《おうごん》交易所（SGE）とロンドンのLBMA《エルビーエムエイ》（昔の「ロスチャイルド家《け》の黄金の間」）が、直物《じきもの》で決めている値段で、日本でも表示されるようになるだろう。

3月18日に、1オンス1500ドル割れの1487ドルだったのが、急に上がり出して、4カ月間であれよあれよという間に2000ドルを突破した。8月6日に2069ドルを記録した（P79のグラフ参照）。この2069ドルを31・1で割って、ドル円の為替相場（105円）を掛けると、日本国内での1グラム当たりの卸価格になる。自分で実際に計算してごらんなさい。1グラム7000円直前である。だからこれに700円を足して、小売の値段は7777（クワトロ・セブン）円のピークを付けた。

来年の2021年に株がまた暴落する。そのときに金《きん》の値段が跳ね上がる。今年の3月に起きたことの再来だ。今年、1オンス2000ドル台を付けたのだから、来年中に、金は1オンス2600ドルぐらいになるだろう。つまり1・3倍になる。国内価格は今の7000円（小売）が、その1・3倍、すなわち1グラム9100円である。あと一息で1万円だ。100グラムの金《きん》の板なら91万円、1キロなら910万円である。私はこのように予測する。

私は前の本で「金の値段は（あと5年で）6倍になる」と書いた。そのときは1オンスが1650ドルだった。1650×6で、ちょうど1万ドルである。あくまでこれが目標値である。今は1オンス2000ドル弱だから、前述したとおり、近い将来に5倍になる。すなわち1万ドルだ。

「リデノミ」は金にどんな影響を与えるか

この動きは、今から4年後の2024年、あるいは2025年までに起きるだろう。2024年からはアメリカ（ニューヨーク）発の世界恐慌が襲来する。当然、日本にも襲いかかる。この大恐慌の予兆を感じたら、ぐずぐずしないで、自分の手持ちの金《きん》の半分を市場で（すなわち買ったところで）売りなさい。金《きん》の取引（売買）停止が政府から発表されそうになるからだ。

そのときは米ドルがどんどん暴落を始めている。１ドルは80円、60円、40円と下がってゆくだろう。そして日本では、Ｐ41で述べたリデノミネイション（通貨単位の変更）が起きる。１万円が、10分の１の１０００円になる。これは、２０２４年に決まっている「新札切り替え」と同時に行なう。このリデノミネイションで世の中が大混乱する。国税庁が一体どうしていいか分からなくなる。前（昔）の値段で換算して、利益（課税所得《タクサブル・インカム》）を計算し直すとか、そんな面倒なことができなくなる。なぜなら「１万円は１万円です」という原理で税務署は動くからだ。

このリデミネイションというのは、アメリカから押し寄せる金融恐慌が、ハイパーインフレを日本国内でも引き起こすことを見越《みこ》して断行するものだ。襲い来る１０００％（10倍）の超《ちょう》インフレを打ち負かすために、それを帳消し《ちょうけ》（オフセット。相殺《そうさい》）にするために、１万円（札）を１０００円（札）にするのだ。

そのもっぱらの原因は、私がこれまでずっと書いてきたとおり、ＱＥ《キューイー》（金融緩和。イージング・マネー。ジャブジャブ・マネー）でお札（紙幣）を刷り散らして、日銀が政府に貸し与えて、巨額の財政赤字（4000兆円ぐらいある。隠している）を穴埋めするために、撒《ま》き散らしたからだ。これで、激しいインフレが起きる。

普通、経済恐慌（デプレッション）というのは、激しいデフレのことだ。デフレとは、お金《かね》（お札《さつ》）が世の中から無《な》くなって、物の値段（給料、賃金を含む）が激しく下落することである。今では「デフレ不況」と平気で経済学者も使うようになった。私も使う。本当は、デフレ（貨幣減少）と、不況は、別物なのだ。しかしこのことは、実は「卵が先か、ニワトリが先か」の議論と同じで、原因と結果（現象）の問題なのである。だから同じと言えば同じだ。だからデフレ不況でいい。

日本は、このデフレ不況が20年以上続いている。ますます、どんどん、もっともっと景気の悪い国になっている。若者たちは、この厳しさを肌で感じ取っているが、大人たちは「昔から、ずっとこんな感じだった」と居直っている。政府も居直っている。サラリーマンの給与（賃金）も、30年昔は、50歳の管理職で年収1000万円あった。今は600万円ぐらいだ。ほら見てごらん。半分に減っているでしょう。ヒドいものだ。しかし誰もこの現実と真実を見ようとしない。

今度やってくる世界恐慌では、国（政府）が抱えている隠《かく》れ借金（隠し財政赤字）がものすごい。このために、それがジャブジャブ・マネーの形になって表われているので、デフレにならないで、**旧来の恐慌とは逆に、激しいインフレになって国民生活に襲いかかる**。このことに注意してください。根拠もなく刷り過ぎたお札《さつ》が紙キレのようになる。だからハイパーインフレになる。

だから、そのとき実物《じつぶつ》資産が生きてくる。大切な物《もの》を持っている人が一番強い。だから、そのとき〝実物資産の王者〟である金《きん》が生きてくる。

金《きん》を私たちが売るときに、国税庁は「実質価格である、前《まえ》の10倍の値段で評価します」とか、バカなことを言えなくなるのだ。この瞬間を狙って売り逃げなさい。大きな儲けにしなさい。そのとき税務の行政は混乱してドサクサ状態だから、税金は大してかからない。リデノミネイションの直前に売ると、おそらく金の値段は大変な額になっている。だから通貨単位が変更になる前の瞬間を狙って、金《きん》を半分だけ売るべきだ。これは副島隆彦からの〝号令〟である。

私は国税庁に対して正面から喧嘩《けんか》を売る。

国家体制上、通貨は表示される金額で評価される。それ以外にはない。インフレになる前の金額で実質で計算します、とかそんなことを税務署は言えない。だから「あなたの売却時の金《きん》の値段は、実質的に10倍ですね」とか、そういうバカなことを国家は言えない。

リデノミネイション（通貨単位の変更）は、激しいインフレを打ち消すために政府が緊急でやる行動だからである。

アメリカは対外的には大《だい》債務国（大借金国）だから、ドルが下落することによって、外国からの借金を帳消しにできる。そうしないと、アメリカは生き延《の》びられない。

だから私たちは、この目標に向かって、これからの大動乱状況に合わせて、じっと事態の推移を見つめながら、損をしないようにしっかり動くべきだ。再度、結論を言えば、2024年の直前まではじっくり金《きん》を持っていなさい。ただし情勢が急変してきたら、早めに半分は処分して大きな値上がり益《えき》を確保すべきだ。ところが、金を売却して得たその現金をどこに移したらいいか、が次の問題となる。それで借金とかを返すのだったら万々歳《ばんばんざい》だ。

どうしても金《きん》を売らなければいけないという人は、P143で書くように、「中間業者」として発生している人、すなわち個人で金《きん》を買ってくれる自分の友人に売りなさい。その友人、知人である「中間業者」は、金がさらに上がると思っているので買ってくれる。ただし、市場価格（そのときの値段。時価《じか》）の1割引《びき》で買い取るでしょう。それを現金にして自分で使ってしまいなさい。

そのお金《かね》は税務署に申告する必要はない。黙ってじっとしていなさい。元々、金《きん》を売ったからといって申告しなければいけないという理屈はない。税務署から何か言ってきたら、向こうは証拠を摑《つか》んでから来るから、そのときはさっさとクールに、儲け（利益）の3割を税金で払いなさい。

アメリカで金の取引が禁じられた歴史

アメリカで、日本よりも早く、もうすぐ金《きん》が売買停止になるだろう。アメリカ政府は、最初は業者間《かん》だけの取引停止とする。そしてそのあと、業者が一般国民（消費者）相手に金の売り買いをすることも停止としてゆく。これが金の取引停止である。これも2024

年に向かって起きることだ。

今から10年前のことだ。２０１０年7月15日に、アメリカで、「金融規制改革法《きんゆうきせいかいかくほう》」“Financial Regulation Act 2010”という法律が成立した。別名を「ドッド＝フランク法」と言う。この法案の作成を担《にな》った2人の議員（クリストファー・ドッド上院議員とバーニー・フランク下院議員）の名前から、このように呼ばれている。このドッド＝フランク法の一部に、「金の個人取引（売買）の規制」が、非常時には実施されることが、はっきりと書かれている。

正式にはドッド＝フランク法は、Dodd-Frank Wall Street Reform and Consumer Protection Act で、「ウォール街の改革と消費者保護の法律」である。この法律の成立から1年後の２０１１年7月15日に、施行された。日本は「3・11」の東日本大地震があったあとだ。この法律は、明らかに２００８年9月に起きた〝リーマン・ショック〟の金融危機《ファイナンシャル・クライシス》（あのときは本当に世界恐慌に突入しかかった）に対処するための法律だった。この法律が施行されると、アメリカ国内の商品先物取引業者や、ＦＸ《エフエックス》（外国為替証拠金取引）を扱う金融業者たちが震え上がった。

「彼らに新たな資格認定試験を課す」とした。アメリカの金融規制当局であるSEC《エスイーシー》（米証券取引委員会）と、CFTC《シーエフティーシー》（米商品先物《さきもの》取引委員会）が、悪質な金融業者の取り締まりに出る、という脅しを業界にかけたのである。「もうこれ以上、危険な高額の金融バクチ取引をするな。もう許さん」という政府命令である。このとき、あの世界的に悪名高い投資家のジョージ・ソロスは、「今さらこの歳《とし》で試験なんか受けさせられてたまるか」と、自分のファンドを表向き閉鎖してしまった。そして自分の友人や知人たちだけのためヘッジファンドを運営する、とした。不特定多数の客から資金を集めてファンドを運営する場合とは異なって、公権力（金融当局）による監視と規制が大きく減る。個人の経済活動の自由（取引の自由。損をするのもその人の自由）という憲法上の大原理があるからだ。

金融を統制する官僚たちは、規制をかける大義名分《たいぎめいぶん》として、「健全な投資をする国民を、悪質な業者たちの危険な勧誘から保護する。消費者保護のための法律である」とする。日本も同じだ。実情は、金融業者たちの過熱した取引への規制をじわりじわりと拡大する。そしてその規制を、一般の個人にも適用する。それが「金《きん》の個人売買禁止」という恐るべき金融統制につながる。

このドッド＝フランク法の拡張的適用の動きは、必ず日本にも波及する。日本の金融庁が、金融法人を規制する反射効果（と法律学で言う）を上手に使って、個人（国民）の金《きん》の保有までもできなくする方向に向かう。日本でもやがて個人の金の取引を禁止する法律が出されるだろう。そのとき、私たち日本人は市場で（すなわち金《きん》業者と）金を売り買いできなくなる。しかし、それでも前述したとおり、親、兄弟、親戚、友人知人の間では、当然、金の売り買いはできる。これを禁止することはできない。同じく個人の金の没収と

POSTMASTER: PLEASE POST IN A CONSPICUOUS PLACE.—JAMES A. FARLEY, Postmaster General

UNDER EXECUTIVE ORDER OF THE PRESIDENT

Issued April 5, 1933

all persons are required to deliver

ON OR BEFORE MAY 1, 1933

all GOLD COIN, GOLD BULLION, AND GOLD CERTIFICATES now owned by them to a Federal Reserve Bank, branch or agency, or to any member bank of the Federal Reserve System.

Executive Order

FORBIDDING THE HOARDING OF GOLD COIN, GOLD BULLION AND GOLD CERTIFICATES

FRANKLIN D. ROOSEVELT

For Further Information Consult Your Local Bank

GOLD CERTIFICATES may be identified by the words "GOLD CERTIFICATE" appearing thereon. The serial number and the Treasury seal on the face of a GOLD CERTIFICATE are printed in YELLOW. Be careful not to confuse GOLD CERTIFICATES with other issues which are redeemable in gold but which are not GOLD CERTIFICATES. Federal Reserve Notes and United States Notes are "redeemable in gold" but are not "GOLD CERTIFICATES" and are not required to be surrendered

Special attention is directed to the exceptions allowed under Section 2 of the Executive Order

CRIMINAL PENALTIES FOR VIOLATION OF EXECUTIVE ORDER
$10,000 fine or 10 years imprisonment, or both, as provided in Section 9 of the order

Secretary of the Treasury.

「金の保有を禁止する」という大統領令が書かれたチラシ。1933年５月に、全米の家庭や会社に配られた。

か強制的な差し押さえなどできない。

アメリカでは、かつて本当に金取引禁止法が実行された。87年前の1933年に、当時のフランクリン・デラノ・ローズヴェルト大統領が厳しい統制経済を始めた。この年に、ドイツにナチス政権ができて、ヨーロッパで大戦《たいせん》が起きることが確実になった。実際に、その6年後の9月1日に第2次大戦（ドイツ軍のポーランド侵攻）が始まった。このように本当に個人が金を所有することまで禁じた歴史の真実があるのであるP89の写真（チラシ）のとおりである。

このとき、世界は第二次世界大戦に向かっていた。戦時《せんじ》経済（ウォー・タイム・エコノミー）に突入してゆく直前に、統制経済《コントロールド・エコノミー》が敷《し》かれて、その一環として「金の所有の禁止」の大統領令《れい》（プレジデンシャル・エグゼクティブ・オーダー）を、ローズヴェルト大統領が出したのだ。

ヨーロッパで戦争の脅威が迫り、ヨーロッパから金持ちのユダヤ人たちが、次々と、金《きん》を体に縛《しば》りつけてアメリカに政治難民（レフュジー　refugees）として逃げてきたという事実がある。一番有名な政治亡命《ぼうめい》（ポリティカル・アサイラム　political asylum）

は、アルベルト・アインシュタイン博士である。アメリカ政府は、このヨーロッパからのユダヤ系の金持ち難民たちが船から降りてきて入国審査（ニューヨーク湾のエリス島という島でする）するときに、彼らが所持していた金《きん》を取り上げた。これは強制的没収《ぼっしゅう》である。ただし、そのときの金《きん》の市場値段で、金をアメリカ政府が公平に買い上げるという形にしたのである。

この1933年にローズヴェルト大統領が出した、「金の所有の禁止」の大統領令の全文を訳したものを以下に載せる。

大統領令　金を没収する　1933年4月5日付
（The Gold Confiscation Of April 5, 1933）

古村治彦《ふるむらはるひこ》訳

発：アメリカ合衆国大統領フランクリン・デラノ・ローズヴェルト
（Franklin Delano Roosevelt）
宛：アメリカ合衆国連邦議会（The United States Congress）
日付：1933年4月5日

アメリカ合衆国大統領令（Presidential Executive Order）6102号

1933年3月9日付のアメリカ合衆国大統領令第2項によって修正された、1917年10月6日付アメリカ合衆国大統領令第5項（b）によって、アメリカ合衆国大統領に与えられた権威に基《もと》づき、以後、金貨、金の延《の》べ棒《ぼう》、金《きん》の預かり証の退蔵《たいぞう》（hoarding）を禁止する。この大統領令を、「現在も続く、国家規模の非常事態に直面している銀行業全体を救済し、またその他の目的のための法令（Act）」と呼ぶ。

この法令は、アメリカ連邦議会による「深刻な非常事態が現在も続いている」という宣言に基づいている。

アメリカ連邦議会は、国家規模の非常事態が発生していると宣言した。私、アメリカ合衆国大統領フランクリン・D・ローズヴェルトもまた、国家規模の非常事態が現在も続いているということを宣言する。そして、アメリカ合衆国内の個人、合名会社、団体、株式会社が金貨（gold coin）、金の延べ棒（gold bullion《ゴールド ブリオン》）、金の預かり証（gold certificates《ゴールド サーティフィケイト》）の退蔵を禁止する条項をここに制定する。この大統領令の目的を実行するために、以下の規制を定めるものである。

第1項 金の退蔵を禁止するという規制を実施するために、まず「退蔵（hoarding）」という用語について定義する。「退蔵」は、金貨、金の延べ棒、金の預かり証が、当局が把握している取引、もしくは商業上の取引から引き離され、所有されている状態を意味する。「人、者（person）」は、個人、合名会社、団体、株式会社を意味する。

第2項 すべての金の所有者たちは、1933年5月1日までに、連邦準備銀行、もしくはその支店、代理業者、連邦準備制度に加盟する銀行に、現在所有する金貨、金の延べ棒、金の預かり証を提出しなければならない。また、1933年4月28日までに所有することになった金貨、金の延べ棒、金の預かり証についても、同様に提出しなければならない。（略）

第3項 1933年4月28日以降に金貨、金の延べ棒、金の預かり証の所有者になっ

た人は3日以内に、この大統領令第2項に沿《そ》った形で提出しなければならない。（略）

第4項 この大統領令の第2、3項に沿った形で提出された金貨、金の延べ棒、金の預かり証に関しては、連邦準備銀行や連邦準備制度加盟の諸銀行は、アメリカ合衆国の法律で定められた通貨や紙幣を支払わねばならない。

第5項 連邦準備制度に加盟している諸銀行は所有、もしくは受け取った金貨、金の延べ棒、金の預かり証をそれぞれの地区にある連邦準備銀行に提出しなければならない。そして、それに対する受領書の発行か対価《たいか》の支払いがなされねばならない。

第6項 1933年3月9日付の法令の第501項によって定められた、大統領が支払うことができる量を超えた場合には、財務長官が、本大統領令第2、3、5の各項に沿った形で連邦準備制度の加盟諸銀行か連邦準備制度に提出された金貨、金の延べ棒、金の預かり証の移動に関する経費をすべて支払う。（略）

第7項 金貨、金の延べ棒、金の預かり証の所有者たちが上記の期限までに提出することが困難である場合、財務長官は、自《みずか》らの権限で提出期限を延長することができる。（略）

第8項 この大統領令の目的の達成に必要な場合、財務長官は更《さら》なる規制を実施する権限を付与《ふよ》される。また、財務省の職員や代理人を通じて許可を与える権限を付与される。（略）

第9項 この大統領令や関連する規制、規則、許可証の発行に関して意図的に違反する者は、1万ドル以下の罰金を科せられる。自然人（natural person）である個人の場合は、10年以下の懲役《ちょうえき》刑を受ける。また、罰金と懲役刑の両方を科される場合もある。また企業の場合においても、違反に加担した従業員、管理職、役員にも個人と同様の罰金と懲役刑、その両方を科されることがある。

この大統領令と関連の諸規制はいつでも変更、もしくは廃止することができる。

……　署名

恐るべき法律文書である。私たちはこの文章を繰り返し読まなければいけない。そして、何とか自分の頭で理解しなければいけない。なぜならこれと同じことが、数年内に、アメリカで、そしてヨーロッパ諸国で起きようとしている。そして日本でも施行《しこう》される。しかしロシアと中国は、この動きに乗らない。ロシアと中国は今、政府が中心となって、世界中の金《きん》をどんどん買い集めている。彼らは、この「1933年のアメリカの金の取引停止」の過去を実によく知っている。だから、アメリカ発の世界恐慌が起きたときに、逆に「金融取引の規制をなるべく行なわない」という動きに出るだろう。西側《ザ・ウエスト》諸国への強烈な嫌味《イヤミ》であり反撃である。

それだから、今のアメリカの金持ち（資産家）は、金《きん》のコインで貯め込んでいる。金コイン（金貨）の流通や国民どうしの売り買いまでは、いくら政府でも阻止できない。金貨は立派に貨幣（通貨）なのである。

ヘッジファンドの主宰者が警告する「金《きん》が買えなくなる動き」

　現物（実物）の金《きん》をやり取りしないで、金を取り引きする市場が30年ぐらい前に作られた。金先物《きんさきもの》の金《きん》ＥＴＦである。その代表がスパイダー・ゴールドシェアである（Ｐ31のグラフ参照）。そして今、この市場の金《きん》の準備が底をついている。だから、「取引の決済《けっさい》を金《きん》の地金《じがね》（現物《げんぶつ》）でしてくれ」と言う人々（トレーダー）を金融規制当局と胴元《どうもと》（ハウス）の大銀行たちが痛めつけている。金の地金で渡せないのだ。胴元のくせに手持ちがないのである。差金決済《さきんけっさい》（ＣＦＤ《シーエフディ》 Contract《コントラクト》 For《フォー》 Difference《ディファアレンス》 ）と言って、「あなたは博奕打ち、投資家なのだから、金の地金《じがね》でよこせなんて、言うな」という理屈にしている。

「いやだ。どうしても金《きん》の現物で決済してくれ。差金（差額）での強制決済には応じない」と要求する投資家たちを、密かに押さえ付けて、あるいは脅迫する。「そういう物騒なことを言うと、お前の会社ごと叩《たた》き潰《つぶ》すぞ」と、業界の親分《ボス》たちから恐ろしい圧迫を掛けているようだ。普通の人々が住む世界ではない。こういうことは、世の中の表面には出ない。だが実際上、今のニューヨークがそうなっている。もうヨーロッパもそうなっている。**実物の金の取引がなくなっている。**

以下は、やがて政府が金の個人保有を禁止する動きに出る、という記事である。ヨーロッパの大手のヘッジファンドの主宰者が、はっきりと言い出した。

「オディ氏、各国政府は個人による金保有を違法化も　インフレ高進なら」

欧州の著名なヘッジファンドの運用者、クリスピン・オディ氏は、「新型コロナウイルス危機の余波で、インフレを政府がコントロールできなくなった場合、各国政府は個人による金《きん》保有を禁止する可能性がある」との見方を示した。

オディ氏は（顧客の）投資家宛ての書簡で、「人々が金を買っていることに驚きはない。だが当局はどこかの時点で個人による保有を違法とする可能性がある」と指摘。その上で、「世界貿易のための安定した勘定《かんじょう》単位を作り出す必要がある、と当局が考えた場合にのみ、そうした措置が講じられるべきだろう」と加えた。

オディ氏は、自分の旗艦《きかん》ファンド「オデイ・ヨーロピアン」において、4月中に金のポジションを大きく拡大した。4月末時点で、金先物6月限《げん》の保有高は、同ファンドの純資産価値全体の実に39・9％を占めた。3月末時点では15・9％だった。

書簡によれば、オデイ・ヨーロピアンの4月の運用成績は（コロナの影響で）、マイナス9・5％だった。3月はプラス21％だった。オデイの広報担当はコメントを控えた。

オデイ氏は、「経済は次第に世界的なロックダウン（都市封鎖）の影響から回復しているのに、各国の中央銀行はインフレをコントロールできなくなっていると主張した。

「歴史を振り返れば、危機の時には、統治者が貨幣価値の引き下げ（リデノミネイション）という手段を用いた例はいくらでも見つかる」とオデイ氏。新型コロナ危機の後に、インフレが高進《こうしん》し、金を購入した人が恩恵を受ける、と予想する投資家は、オデイ氏だけではない。ただインフレ期待に関する市場の指標は、そうした見方からは程遠《ほどとお》い状況にある。

（ブルームバーグ　2020年5月21日　注は引用者）

クリスピン・オデイ（61歳）

重要な記事である。アメリカだけでなく、ヨーロッパにも金《きん》取引停止の動きが起きていることが、これで分かる。

金地金《きんじがね》と金貨が足りない

金《きん》は、数年以内に、取引禁止、売買停止になるだろう。日本国でもそうなるだろう。以下に重要なWSJ（ウォールストリート・ジャーナル）紙の記事を引用する。前著にも載《の》せたが、きわめて重要な記事なので、この本でも抜粋して載せる。じっくり、しっかり読んでほしい。それぞれの人の理解力に応じて、真剣に読むべき記事だ。

「新型コロナが招いた世界的「ゴールドラッシュ」」

新型コロナウイルスの世界的大流行が続く中、（ニューヨークの）投資家や銀行が、金地金や金貨の深刻な不足に直面している。ディーラーは在庫が払底《ふってい》するか、休業に入っている。

1856年以来、自社で金地金を製造してきたクレディ・スイス・グループは先

金《きん》の現物《げんぶつ》はロンドンに
本当は10万トンぐらい有《あ》る

(イングランド銀行の金庫を視察するエリザベス女王)

写真／AFP＝時事

必死でBrexit《ブレグジット》(EUからの脱出)中のイギリスは、今や「6600万人の貧乏国」と呼ばれている週、「在庫の問い合わせは控えてほしい」と顧客に通知した。ロンドンの銀行がニューヨークの取引所に金《きん》を運ぼうとして、プライベート・ジェット機を貸し切りにしたり、どうにかして軍用輸送機まで使おうとしている。

現物不足の深刻化を受けて、ニューヨークのウォール街の銀行は、カナダに支援を求めている。カナダ造幣局には、「ニューヨークに運ぶための金地金を増産してほしい」という要請が殺到している。

カナダ造幣局上級販売責任者のアマンダ・ベルニエ氏によると、「新型ウイルスの感染流行でスタッフの数を減らしたため、現在生産している金地金は一種類のみだ。主に米国の銀行やブローカーから、かつてないほどの需要がある」という。

（ウォールストリート・ジャーナル　２０２０年３月30日　傍点と注は引用者）


このように、ニューヨークのウォール街《ストリート》では金《きん》の現物が払底している。ロンドンからニューヨークへ金を運ぶために、軍用の輸送機まで使おうとしている。プライベート・ジェット機で運ぶ場合は、１回当たり金塊《きんかい》５トンを運ぶ、と後掲する続きの記事に書いている。

金《きん》の取引（売買）は、「現物《げんぶつ》」と「先物《さきもの》」の2通りがある。現物取引は、金の実物（現物）を売り買いする。買った金は自分で保管するか、銀行の貸金庫とかに預ける。これに対して金の先物は、期日と値段をあらかじめ決めてする現物抜きの取引である。期日（限月《げんげつ》）が来たら差金決済する。ところが、この先物取引市場にも、銀行の準備預金（リザーブ）と似た現物の金（インゴット）を担保《たんぽ》（保証）として取引総額の5％ぐらいは積んでおかなければいけない、というルールがある。ところがこのルールが今、破られつつある。ニューヨークには金《きん》が無《な》いのだ。

飛行機で現物を運べば大金が稼げる

ニューヨーク（ウォール街）の金《きん》の先物の取引市場が、先述したCOMEX《コメックス》（ニューヨーク商品取引所）だ。COMEXは、NYMEX《ナイメックス》（ニューヨーク・マーカンタイル取引所）というコモディティ（商品。金属や穀物《こくもつ》などの基本物資）の取引所の主に貴金属の取引である。COMEXもNYMEXも、今はCME《シーエムイー》グループ（シカゴ・マーカンタイル取引所。レオ・メラメッド名誉会長、88歳）の傘下に入っている。

もうすぐ、このシカゴ先物市場に危機が発生するだろう。東証《とうしょう》（ＪＰＸ。日本取引所）で10月1日に起きた、コンピュータの機械そのものの故障による終日（丸1日）の取引停止などというものではない。10日間、取引停止、のような事態が起きるだろう。金《きん》は、まず先物市場《フューチャー・マーケット》から崩れ始める。

ＷＳＪ紙の記事は、さらに続く。

問題は、世界の金《きん》の現物の多くがロンドンにあることだ。

現物不足を受けて先週、ニューヨーク市場の金先物とロンドンの金現物の価格差が1オンス（引用者注。31・1グラム）当たり70ドル（７０００円）まで開いた。通常は数ドル以内にとどまるはずの価格差が大きく広がったことで、ニューヨーク先物市場では、目ざといトレーダーが現物受渡《うけわたし》取引に飛びつき始めた（引用者注。差金《さきん》での決済を拒否する）。彼らは、「銀行は取引契約の履行に必要な量の金の現物を見つけられないだろう。（こうなったら）銀行から多額の現金を搾《しぼ》り取ることができる」と考えたからだ。これを受けて（金《きん》ＥＴＦ市場で胴元《どうもと》となっている）主要な銀行たちは、金の地金の確保に走った。

ロンドン金地金《きんじがね》市場《しじょう》協会《きょうかい》（London《ロンドン》 Bullion《ブリオン》 Market《マーケット》 Association《アソシエイション》 LBMA《エルビーエムエイ》）によると、2019年11月時点で、ロンドンで保管されていた金は8263トン。最も多くの金を保管しているのは、イングランド銀行（英中央銀行）だ。ただ、感染症の大流行時にロンドンからニューヨークに金の現物を運ぶのは相当厄介《やっかい》な仕事だ。

ほとんどの場合、金地金は旅客機の貨物室に積み込まれ、輸送される。セキュリティ会社は、1回のフライトで約5トンを超える金を運びたがらない。飛行機の墜落《ついらく》に備える意味もあるが、（請求する）保険料が高くなるせいもある。空港到着後、金は厳重な監視の下、ニューヨークの保管庫にトラックで運ばれる。

金を届けるだけで大金が稼げる。（このことに気づいた人々がいる。）金市場の元トレーダーの人物によると、「通常であれば金の輸送費は金1オンス当たり約20セント（20円）、地金を溶かして、ニューヨークの受渡標準に合うように作り直すのに20セント弱。財務費用に約10セント（10円）かかる」。

したがってニューヨークの価格がロンドン価格より1オンス当たり、わずか1ドルでも高ければ、ニューヨークの銀行は、5トンの金を買って運んだ場合、8万ドル（800万円）稼げる。リスクもほとんどない。3月24日の価格で計算すると、5トンの金を輸送すれば、ジェット機を貸し切りにするコストを差し引いても、１１００万ドル（11億円）の利益になる。

（ウォールストリート・ジャーナル　２０２０年3月30日　注は引用者）

このように、ニューヨークの金《きん》市場は、今やしっちゃかめっちゃかである。まともで立派そうに見せかけていても金《きん》の取引市場が成り立っていないのだ。ニューヨークで「金の値決め」をしている大《だい》銀行が6行ある。彼ら自身が金《きん》の手持ちを、もう持っていないのだ。何が「ブリオン（金塊《きんかい》）・バンク」だ。ブリオン（20キロぐらいの重さの四角棒の金の塊《かたまり》のこと）を持っていないのに、ブリオン・バンクと威張っている。だから、この悲惨な現状のアメリカを尻目にして、金《きん》の世界価格は、これからも急上昇してゆくのである。

中央銀行（ＦＲＢ）の政策実行部隊であるニューヨーク連邦銀行（連銀《れんぎん》。これもＦＲＢ Federal Reserve Bank of New York ）自体が実際に金をもう十分に持っていない。彼らはさらには、ドイツや日本から敗戦直後に「預《あず》かっておいてやるから」と、取り上げた金《きん》までも使い込んでいる。まったく、みっともないったらありゃしない、だ。

スイス造幣局に「市場価格の2割増しのプレミアムを付けるから、金を急送《ディスパッチ》してくれ」と頼んでも、「もうイヤだね。自分のほうの需要《じゅよう》（客からの買いの殺到《さっとう》）に応じるだけでも手一杯だ」と言われている。オーストラリア造幣局なら、「まだ手持ちの余裕がありますよ。分けてあげましょう。なにしろ私の国は産金《さんきん》国ですから」と、アメリカに大量に1000トンぐらい送るかもしれない。

だが、カナダは、歴史的に「英豪《えいごう》資本」で名高いニューモントゴールドコープとバリック・ゴールド（P135の産金《さんきん》会社［金《きん》鉱山］のグラフ参照）などの国である。英豪《えいごう》資本というのは、英ロスチャイルド財閥系ということだ。ここには、ギラギラと輝く金《きん》（スターリング・ポンド）を世界支配の基準としたロスチャイルド財閥と、アメリカのロックフェラー財閥（石油で成り上がった）との長い相剋《そうこく》（いがみ合い）があるのである。だから、カナダ国と同じで、オーストラリア国も、アメリカに進んで金《きん》を売って助ける、ということをしなくなるだろう。この辺《へん》が、世界史の転換点なのである。アメリカの没落が見えてきた。

金先物市場《きんさきもの》は崩壊する

金《きん》の国際値段は、私が予言してきたとおり、ロンドンと上海《シャンハイ》で決まるようになるだろう。前出したロンドンのLBMA《エルビーエムエイ》（ロンドン貴金属市場協会）と、中国のSGE《エスジーイー》（上海黄金交易所《こうえききじょ》 Shanghai Gold Exchange ）が値決め（ fixing フィキシング）して決める。これは金地金《きんじがね》の現物《げんぶつ》市場である。そのときには、シカゴ・マーカンタイルが握りしめてきた金の世界価格の支配力が消えてなくなる。２０２４年に崩壊する。これはもうほぼ決まっている。金融先物市場全体の崩壊である。

それでも、これから先も、金属（鉱物類。銅やアルミや鉄）でも、エネルギー（石油、石炭、天然ガス）でも、農産物（豚肉や小麦）でも、世界値段を決めなければいけない。おそらくそのときには、穀物市場については中国の大連《だいれん》と上海の穀物価格が世界値段になるだろう。なぜならすでに、この2つの市場が世界最大の穀物取引量だからだ。

日本の米《こめ》の値段も、中国の市場で決まりつつある。大連の北方、哈爾浜《ハルビン》を中心とする旧満州（中国東北部《トンペイ》3省）の巨大な大平原地帯が、現在は大米作地帯《だいべいさく》になっている。ここが

「北の穀倉大地」と言われ、ここで収穫される米の質がかなり向上した。中国の米作農家は、今では日本のコシヒカリ・クラスの超高級米まで平気で作っている。クボタの浄水器と東レの半透膜技術を大きく導入して、水をきれいにして、1キログラムで1000円とか2000円する超高級米を、どんどん作っているのである。

コシヒカリを作っているということは、日本の米も中国の大連《ターリヤン》市場に支配されるということだ。日本人はコメを食べなくなった（年間400万トン）し、日本に国力がない。50年前は、旧満州では米は作れなかった。寒冷地だからだ。だが、日本の北海道のゆめぴりかや、ひとめぼれと同じ寒さに強いコメが中国に、いつの間にか（日本人の農学者たちの努力で）移転していた。私はそれを現地に行って直接、目撃して来た。本にも書いた。

日本の農産物は、大阪取引所に市場が移っている。ところがほとんど取引がない状態である。大阪取引所は、前述したレオ・メラメッドのシカゴ・マーカンタイル（CME《シーエムイー》）が資本参加というか、乗っ取った。ところが、あまりに薄商《うすあきな》いだから、CMEが投げ捨てて今はJPX（日本取引所。東証だ）が吸収したのだろう。市場が成り立たない理由は、大手のスーパーや冷凍庫業者が、生産農家や、地方の港から直接、トラック5台分、10台分とかを買い付けるからだ。魚も同じである。ということは、豊洲《とよす》（以前は築地《つきじ》）の卸《おろし》売《うり》市場で競《せ》りにかかっている魚は、ほんのわずかだ。表面上、活況なふりをしているだけで、実際の値段は市場外《がい》の取引で決まっている。

豊洲の魚市場は、高級寿司屋や小さな魚屋、あるいは料亭が、新鮮な高級品の魚を買うために仕入れるために有《あ》るのであって、大量に取引しているのは巨大冷凍庫を持っている業者たちだ。零下70度の冷凍工場に入れて、冷凍自動車で全国に運ぶ。冷凍技術が、この50年でものすごく進んだので、私たちの食生活は大きく変わった。生《な》ま物が腐らなくなった。最初に超低温冷凍庫を導入して全国展開した業者たちが、今、大手になっている。私がじかに知っているのはシダックス社である。

このようにして、アメリカが金《きん》の世界値段を決める時代は、早晩《そうばん》、終わる。前述したように、現物市場の値段を、もう20年前からロンドンと上海の黄金市場で決めているからである。シカゴの先物価格が、現物価格の鼻づらを前もって引きずり回す、という時代が終わりつつある。これは株式市場でも言えることだ。「日経平均先物」が、ニューヨークで前の日に、東京市場の値段を総額で決めてしまっている、という、フザけた、おかしな現状がこれから是正《ぜせい》される。アメリカ支配をイギリスと中国の連合が奪う。それは世界恐慌突入の2024年よりも前の、2023年には起きるのではないか。

アメリカ政府は、もうほとんど金《きん》を持っていない。P21に載せた「各国政府が保有する金」の一覧表は、ワールド・ゴールド・カウンシル(WGC)という奇妙な団体が発表しているものだ。このグラフで「アメリカは金を8133トン保有」と表示してあるが、嘘《ウソ》だ。ケンタッキー州のフォートノックス陸軍基地の中にある、長い大きな横穴の巨大な洞窟の中に金《きん》を貯蔵してあるはずなのだが、無《な》い。外国貿易の代金の決済の帳尻《ちょうじり》を合わせるために、このアメリカ政府保有の金を少しずつ使ってしまったからだ。

アメリカの貿易赤字(トレイド・デフィシット)はものすごい。毎年毎年、1兆ドル(100兆円)の純赤字である。そのうちの6000億ドル(60兆円)は、中国との貿易である。だから、「米中貿易戦争」が2018年から起きたのだ。トランプが先に仕掛けた。しかし中国を抑えつけることができず、アメリカは勝てなかった。そして金《きん》の現物は、現在、中国に一番集中している。おそらく12万トンぐらい持っている。現物で金を持っている国が一番強いのだ。ロシアとインドも自分で金の現物をたくさん貯め込んでいる。プーチンに教えられて、つい最近トルコ(エルドアン大統領)が金を買い始めた。だからP21の表に去年から登場した。

ヨーロッパ諸国では、イギリスだけが金《きん》をいっぱい貯め込んでいる。フランスやドイツは、あまり持っていない。イギリスだけは、P101の写真にあるように、BOE（イングランド銀行）が、女王陛下の金だけでなく日本の天皇家の金もしっかり預かっている。

法人で金を買う

私はこれまで、「金《きん》を会社の金《かね》で買っている人たち」のことを考えたこともなかった。ところが実際に、会社の余裕資金が有って、それで「法人の金《かね》」で金《きん》を購入している人たちがいることを知った。

資産家や経営者が、自分個人の金《かね》で買うのではなくて、財務（経理）担当の役員と話しながら、社長判断で買っているのである。当たり前と言えば当たり前のことをやっている。しかも、個人で5キロ、10キロの金を売り買いしているのではない。会社の帳簿上にきちんと載《の》せて、金《きん》の保有を自分の事業とは別個に、資本勘定のところでやっている。

社長は、自分の会社との間で、赤字補塡《ほてん》のために自分の金《かね》を貸したり、会社から自分が

3億円の借り入れをしたりする。こういうことは、税務当局もよく分かっている。契約書がしっかりしていて帳簿上の金額が正確であれば、何の問題もない。法人課税は、法人の帳簿はしっかりしていて、税理士がちゃんと見ているので、おかしなことはあまりできない。

ただし、金の現物《げんぶつ》（地金《じがね》）を買うことで、値上がり益の儲けを会社の利益として処理すると、これは法人税で処理する。個人の場合は、所得税は55％である。法人税は30％（どちらも地方税を含む）である。だから法人のほうが得だ、と思う。だが個人の場合は、金《きん》を5年以上持っていると、儲けへの課税（課税所得額）は、半分の27・5％になる。だから個人のほうが得だ、とか。こういう細かい話は、やりだすときりがない。

法人（会社、企業）が金《きん》投資で出した利益は、本業の利益と合算《がっさん》して申告する。会社経営で赤字決算を3年繰り返すと信用をなくす。銀行はカネを貸さなくなる。2年でも危ない。これを避けるために、社長が持っている自分の会社の株を売って、損失補填《そんしつほてん》することがある。これと金《きん》の儲けも同じ取り扱いになる。会社の赤字状態を消すために、社長が自《じ》腹《ばら》を切るのである。いわゆる損益通算《そんえきつうさん》である。この場合、税務署は文句を言わないはずである。会社経営がどんなに大変か、税務署だって分かっている。税務署にしてみれば、「早く黒字になって税金を払ってくださいよ」と言うことになっている。

ところが気をつけなければいけないのは、ときどきタチの悪い税務署員（その上司が本当はワル）がいて、「社長。実質的に、この金《きん》の購入は、社長個人の投資ですよね。会社の余資《よし》の運用には該当しませんよね」と言う。とんでもない嫌がらせを言い出すヤツがいる。本当にこういう悪質な、チンピラのような税務署員がウヨウヨいる。性格がヒン曲がっているか、出自《しゅつじ》が悪いか、サディスト根性に浸《ひた》ってしまった税金トリである。このことに気をつけなければいけない。この場合は、「そんなイヤがらせのイジメをやるのなら、私は裁判で闘う」と、経営者は強い態度に出るべきだ。

税務署が嫌がることとは

ここで大事なことを教えておきます。個人でも法人でも、税務署が税務調査に入ったとき、一番嫌がって恐れるのは、**「そんな理屈の通らないことを言うなら、私は徹底的に闘う。この違法な課税に対して裁判で争う」**と言うことである。この「裁判で争う」というコトバを国税庁・税務署は、ビクッとしてものすごく嫌がるのだ。

私は税金裁判《ぜいきんさいばん》（税務訴訟と言う）を自《みずか》ら体で味わって、闘った経験を持つ。だからいろいろ知っている。経営者や資産家が裁判で争うと言うと、税務署はうろたえる。狼狽《ろうばい》する。なぜなら裁判となると、必ず法務省（国側の代理人となる。これは検察官がやる）が加わることになるので、国税庁はこのことをものすごく嫌がるのだ。国税庁は法務省に呼びつけられて、「どうしてこんなことで、裁判にまでなったのか」と調べられる。法務省からグジャグジャといじめられるから嫌がるのだ。それが国税庁にとっては、堪《たま》らなくイヤなことなのだ。加えて手間ばかりかかって仕方がない。

裁判は、法務省・検察庁の神聖な縄張《なわば》りである。国税庁もここではまったく頭が上がらない。税金裁判になると、若い事務官が法廷で「原告〇〇さん（訴えた経営者）。被告、国《くに》」と読み上げる。被告である国の代理人は、検察官（法務省職員）である。分かりますかね。よーく読んでください。原告があなた、で、被告（訴えられたほう）が国なのである。このように逆転した形をわざと取る。しかし実際は、法務省と国税庁はグルだから、訴えたあなたを必死で痛めつけてくる。税金裁判は大変なことなのだ。

金《きん》の売買にかかわらず、税務署があまりに理不尽なうるさいことを言ったら、「裁判に訴えます」というコトバを遠慮しないで、怯《おび》えないで、どんどん使いなさい。皆さんが思っているよりも、税務署はこのコトバが100倍怖い。そして「上司と相談します」という言葉が3回出てきたら、税務署側の負けだ。彼らは引く（撤退する）。「まったくもう、うるさいやつだな。手間がかかって仕方がない」と言って、税務署は主張を撤回する。「それでいいですよ」と捨てゼリフを残す。

ただし、ひとつだけ気をつけなければいけないことは、皆さんが頼んでいる税理士が税務署側のスパイであるかどうかだ。この一点だけは、きわめて本気にならないといけない。あるいは〝試験組《しけんぐみ》〟であっても税理士が気が弱いヤツで、話にならないことがある。〝国税あがり〟（元税務署員）の税理士であるかどうかを慎重に判断しなければいけない。その税理士の口ぶりや態度を見ていれば分かる。なんと今の税理士は、6割は〝国税あがり〟である。つまりスパイということだ。こいつらにペラペラ自分のことをしゃべってはいけない。

「私のために闘ってくれないのだったら、あなたにはお願いしません」と、その税理士先生にキッパリ言って縁を切りなさい。そういうヤツは必ず税務署の手先、スパイになります。私は『恐ろしい日本の未来　私は税務署と闘う』（ビジネス社、2005年刊）という本も書いている。今からでも何とか手に入れて読んでください。さらには、『税金官僚から逃がせ隠せ個人資産』（幻冬舎、2013年刊）という本まで書いている（笑）。こっちのほうが、きっと役に立つでしょう。私は苦労に苦労を重ねながら、実地で生きてきた人間だ。私はそこらの評論家とは違う。

金《きん》の法人買いで、もうひとつ気になる点は、金《きん》の売買という資金運用のやり方が、会社の定款《ていかん》の事業内容に書いていないことだ。それでも定款には、「その他事業に関係する必要な取引を行なう」と、だいたい一般条項（と言う）で書いてある。この考えにしたがって、株式や不動産の取引と同じように金《きん》も扱われるべきだから、これを主張すれば問題はないだろう。

現在は、まえがきでも書いたとおり、コロナ大不況のために、経営の「持続化給付金」などという名の公的支援が、ガブガブ受けられる時代になった。そして零細企業でも700万円とかの緊急融資が無利子・無担保で受けられる。このことが本当はおかしな現象だと皆、考える余裕もない。

それでもこういう資金を手に入れて、今からでも法人で金《きん》を買って、3〜4年は、ほったらかすことをやればいいのである。そのカネの使途（何に使うか）を、以前のように商工会議所の窓口で、グダグダしつこく聞かれることはない。馬鹿げた恐ろしい時代になったものだ。

何なら、買った金《きん》の地金《じがね》を金箔《きんぱく》にして、「新しいIT部品《デバイス》に欠かせない金のシャチホコを作って、事業用に販売する」ぐらいのことを、平気でホラを吹いてもかまわない。金《きん》は絶縁性《ぜつえんせい》が強くて、電子部品の材料として、今も必須の最高の鉱物資源だからである。

そもそも、金《きん》は鉱物資源の一種なのだから、銅や鉛《なまり》やアルミと同じく、産業品目なのであって、故意に金融商品だと考える、今の国家側の理屈は成り立たない。何を法律上の根拠にして金《きん》だけを特別扱いできるのか。法的根拠はない。財務省・国税庁もそのことに気づいていて、特別に金だけを狙い撃ちにする行政執行（税の取り立て）をすることはできないのだ。このことで彼らは後ろめたい。有《あ》るのは、「儲《もう》かったんだから儲けの3割ぐらいは国《くに》に払いなさい」という一般条項である、所得税法だけである。

だから結論は、個人でも法人（会社）でも、まだまだどんどん金を買えばいい、ということである。

「客が選別される時代」が始まった

私は前著で「金《きん》が買えなくなる」と書いた。すると、「まだ、どこで金を買えるのですか。どうやって買うんですか」と質問が来る。まだ地方の金《きん》ショップや金地金商《きんじがねしよう》でも買える。ただ大手は、顧客《こきやく》に優先的に売る動きになりつつある。売り渡す客の選別が始まっている。「一見《いちげん》さんお断わり」で、ぽっと出の人たちには、やがて田中貴金属も徳力《とくりき》も石《いし》福《ふく》も、売らなくなるだろう。

私の本の読者から、基本的な質問メールをいただいた。以下に紹介する。

副島様

○○と申します。ここ12〜13年、先生の著書を読んでいます。

住友《すみとも》金属鉱山のＨＰを開いたら、製品・サービス→金属製品→金・貴金属→金地金→問い合わせ先「金属事業本部　銅・貴金属営業部」という項目の下に、「個人投資用販売はしていない」と明記されています。

また、ニュース・リリース２０１４年1月27日付けのプレスリリースに、「純金積立事業の会社分割による事業移管について」の記述がありました。
詳細のPDFには、「個人向け金リテール（注。取引の意味）事業からの撤退を決定し、2014年11月1日付けで、純金積立事業を田中貴金属に移管する」と書かれています。以上、気づきましたのでお知らせします。

このように、三菱マテリアルと並んで日本の最大手の金鉱山採掘業者（産金《さんきん》会社）である住友金属鉱山でも、個人向けには直接、金を売らなくなった。田中貴金属に行け、と書いてある。

それでも、まだ金《きん》の売買停止や禁止の事態にはなっていない。しかし日本政府は、そろそろ、金を売買させないゾという方針で動いている。それはお札《さつ》（紙幣、日銀券）を守るためである。お札の信用がどんどん落ちていくことがバレないようにするために、国民に金《きん》を買わせたくないのだ。だからこそ、私たちは金《きん》の保有に執着しなければいけない。本気で考えなければならない。

銀の値上がりにも注目せよ

卸売の国内銀価格　10年間

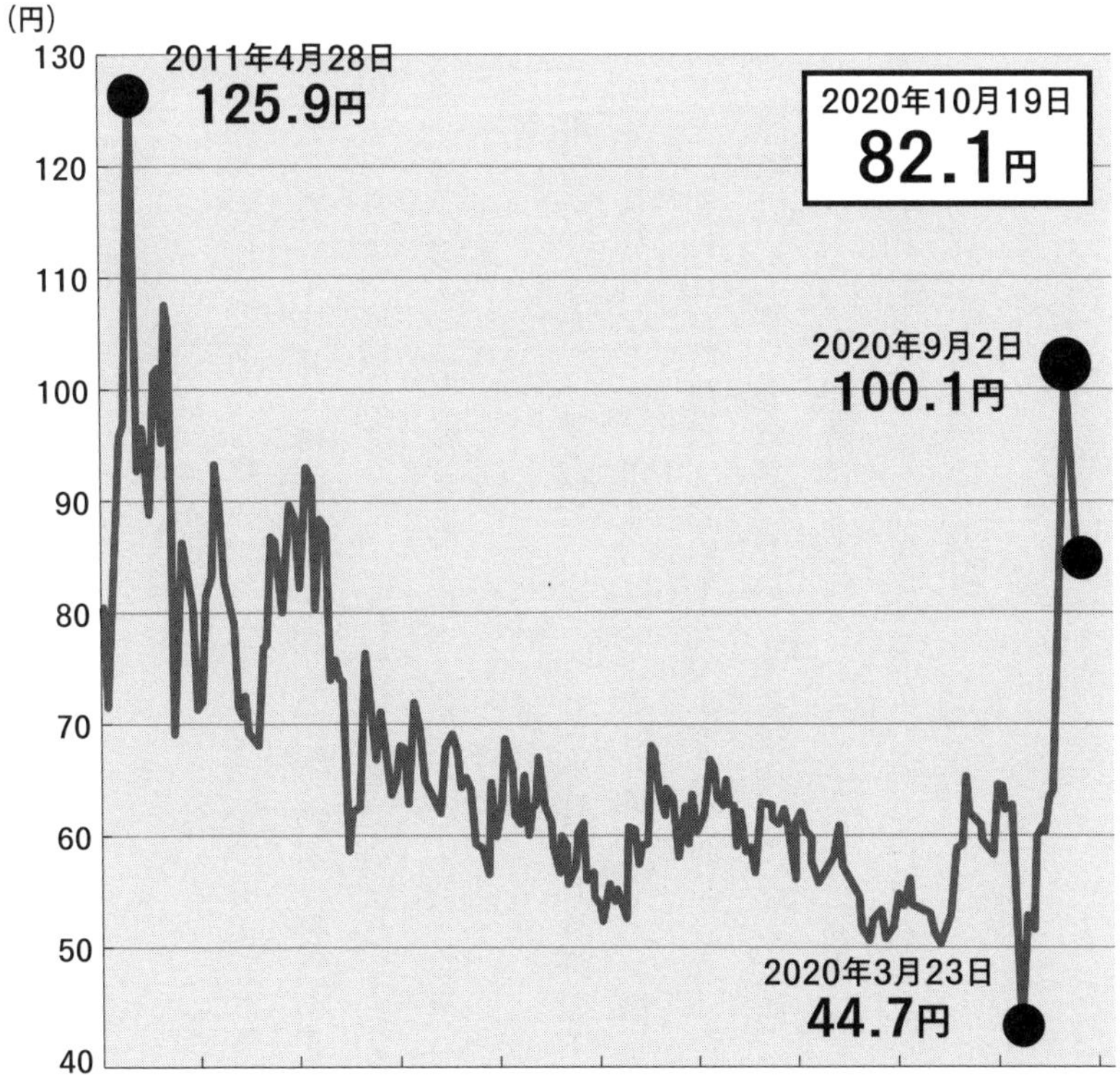

出所　日本取引所グループ・大阪取引所の資料から作成

銀価格は金の100分の1まで落ちた。

だが40分の1に戻る。1グラム100円まで戻った。

金《きん》の代替物としての銀《ぎん》

金《きん》の正真正銘《しょうしんしょうめい》の兄弟は銀《ぎん》である。銀（シルバー）は、この前まで下落していて、1グラム70円ちょっとだった。1キロでは、たったの7万円である。P121のグラフにあるとおり、1グラム44円というドン底値があった。それが、急激に値戻しして7月28日に96円になった。9月2日に1グラム100円を超えた。そのあと1回、急落したが、また戻った。

銀は従来、金《きん》の40分の1ぐらいの値段だった。それが今は100分の1にまで落ちていた。金《きん》が1グラム7000円なのに、銀は70円だったのだ。驚くべき安さである。ここまで銀の値段は落ちた。銀は江戸時代は、金の4分の1ぐらいの値段だった。それが、金に比べてどんどん下落した。しかし銀は錆《さ》びない（変色はする）いい金属だ。硬貨（貨幣）に使える。銀は大量に採《と》れるので世界的に余っている。それでも銀が甦《よみがえ》る時代が来る。2011年4月の125円を超えて、やがて1グラム200円になるだろう。1キロで20万円である。今から銀を買っておいたほうがいい。

パラジウム

突如、急上昇。
何があったか

直近1年半の1g当たりの値段

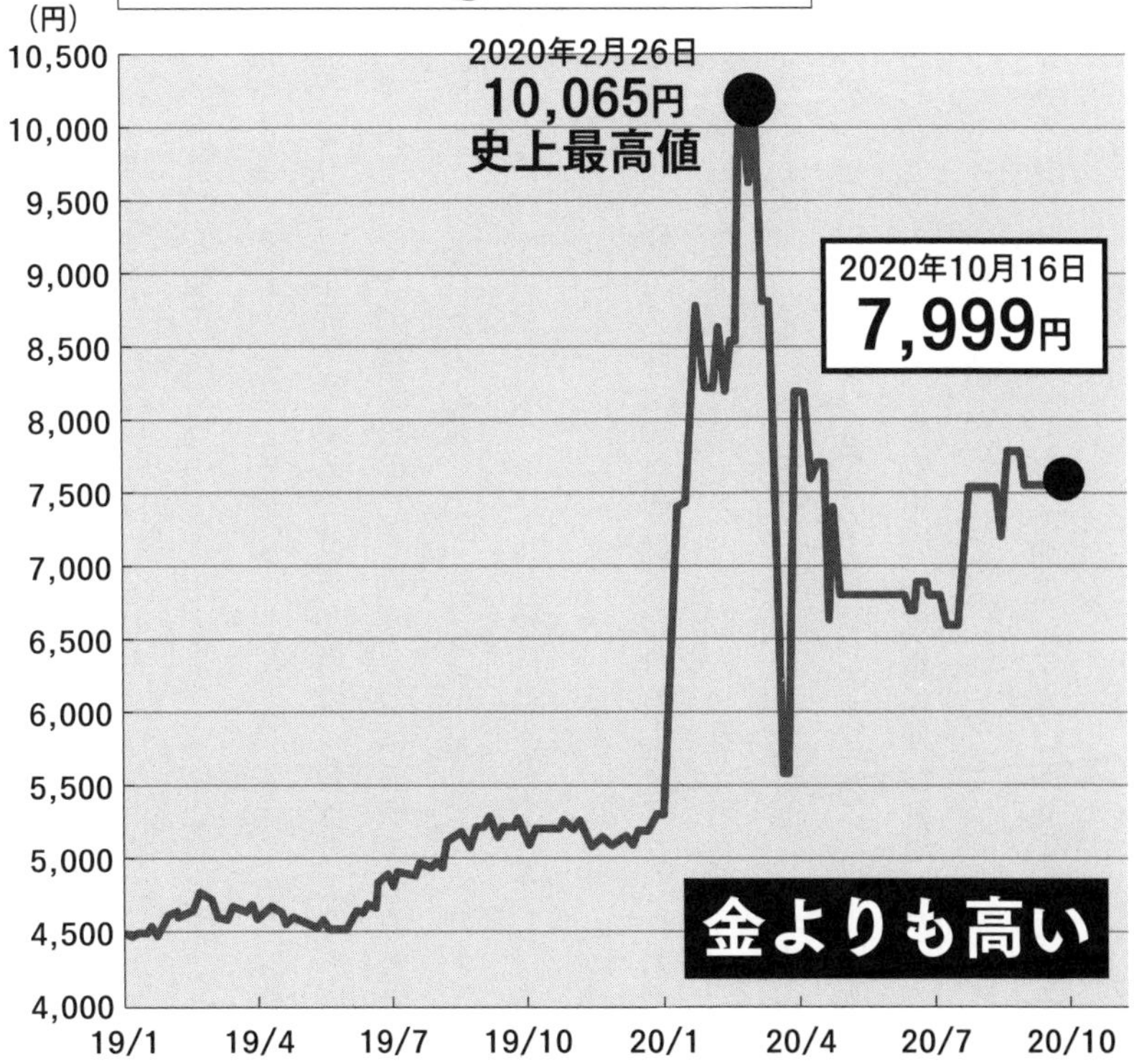

出所　日本取引所グループ・大阪取引所の資料から作成

中国での排ガス規制強化で、触媒用技術の需要が高まったので、輸入が増加した。プラチナの代替物のようだ。

プラチナがすっかり値下がりした。今は、金《きん》のちょうど半値の、1グラム3300円ぐらいである。この3月の安値で、プラチナは1オンス600ドルまで急落した。1グラムでは2000円である。それが、何とか値戻しして、今は1オンス900ドルぐらいだ。1グラムでは3300円（小売）である。プラチナは、昔は金《きん》よりも高かった。1グラム7000円した。ダイヤモンドの指輪を美しく見せるのはプラチナの台《だい》である。トヨタが、20年ぐらい前に排ガスの新技術を開発して、プラチナを触媒《しょくばい》（カタリスト）として使わなくて済むようにしたので、それでプラチナの値段は下落した。しばらくはこのまま金の半値のままだろう。

プラチナに替わって、排ガス除去の触媒に使われるようになったのが、パラジウムである。パラジウムの値段が突如、急上昇した。P123のグラフのとおりだ。なんと2月に、1グラム1万円を突破した。パラジウムは「銀パラ」と言って、昔から銀歯に使われてきた。健康保険が効く（適用される）貧乏な人たちのための、虫歯の詰め物の材料（充塡《じゅうてん》材）だった。それがどうも中国で、自動車の触媒《カタリスト》用に使われ出したようで、中国での需要が一気に増えた。だから異常に値上がりしたのだ。今ではもう金《きん》に次ぐ特別な金属である。1グラム7500円ぐらいだ。昔は、パラジウムは商品先物（コモディティ）市場で大量に取引されて、ワイワイ元気よくみんなで売り買いしていた。懐かしい金属である。

　これまであまり投資の対象にならなかった金属類が、これからは対象になってゆく。個人資産を守るために、**定期預金を今のうちに解約して下《お》ろして、貴金属にどんどん変えていくべきである。**14金《きん》のネックレスや指輪でもいい。金《きん》でできていて、きちんと金の純度を証明する売り主（ブランド）の刻印《こくいん》が打ってある金製品なら、買って貯めこみなさい。ずっと持っていれば、それでさえ4年後には3倍ぐらいの値段になる。お札（紙キレ）をいつまでも信用してはいけない。

金貨（コイン）も買う

　もうひとつ助言をしておきましょう。資金力があまりない人は、それでも何とか、純金のコインを1枚、まず買いなさい。金《きん》のコイン（金貨）なら、どこでもまだ買える。金貨（1オンス　31・1グラム）は、今、田中貴金属でも24万円ぐらいだ。売却するときは21万円だ。3万円の差がある。すぐに21万円で買い取ってもらえる。あれこれグダグダ言われることはない。

金の卸売価格は、現在1オンスで22万円ぐらいである。時価《じか》の6500円／グラム×31・1≒22万円。これを24万円で買うのだ。ということは、コインには2万円のプレミアムというか、上乗せ分があって、その分だけ買うときに高い。反対に売るときには2万円安くなる（ディスカウント）から、21万円で引き取ってもらえる。簡単に言うと、金地金《きんじがね》の卸値（中値《ミドル》）の上下1割での増減だ。それでもいいから、今のうちに金貨（ゴールド・コイン）を買い集めなさい。将来、世界中どこに持っていっても売れる。世界的ブランド品なのだから。たいしてかさばることもない。


アメリカの小金持ちたちは、皆、この金貨をたくさん買い集めている。カナダやメキシコに、自分の車で国境線を越えて行って、買って帰ってくる。カナダのメイプルリーフ金貨や、オーストリアのウィーンハーモニー金貨だ。オーストラリアのナゲット金貨、カンガルー金貨もある。アメリカ造幣局が発行したイーグル金貨は、よほどのことがないと市場に出てこない貴重品だ。

日本人も金貨で収蔵するべきだ。金貨なら、海外に持ち出すときに、税関でグズグズ言

この世界の4大金貨が、これから光り輝く。なるべく買い集めなさい

メイプルリーフ金貨
(カナダ)

ウィーン・ハーモニー金貨
(オーストリア)

イーグル金貨
(アメリカ)

カンガルー金貨
(オーストラリア)

今は、この1オンス(31.1グラム)の金貨(ゴールド・コイン)が24万円だ。売るときは21万円である。

われない。財布の中に5枚ぐらい入れて、他のおカネと一緒にしておけばいい。

金貨1枚（1オンス、ounce《オウンス》）は、以前は18万円ぐらいだった。それが、もう24万円だ。このままずっと持っていれば、やがて100万円（1万ドル）になるだろう。私が言うことを信じるか、信じないか、はあなたの勝手だ。

もはや不動産は優良なものしか資産にならない

「タンス預金」で現金を貯めている人たちも、そろそろ現物の資産、すなわち実物《じつぶつ》資産に替えてゆきなさい。今の1万円札が新札に切り替わって使えなくなる（2024年）ときが目の前に迫ってきた。

ところで、土地や家、アパート、商業ビルなどの不動産が、資産にならなくなりつつある。これは重要なことだ。ただし、駅に近くて、借り手が必ずつく優良不動産の場合は別である。家賃《レント》が着実に入り続ける物件ならば優良資産である。

賃貸用アパートで、住居者が7、8割入っていて、ちゃんと利益が出ている大家《おおや》（地主《じぬし》）はいい。しかし投資用の不動産を新しく買うという発想は、もうやめなさい。これか

不動産価格の下落は始まっている

新築マンションの価格推移　2019年1月～2020年7月

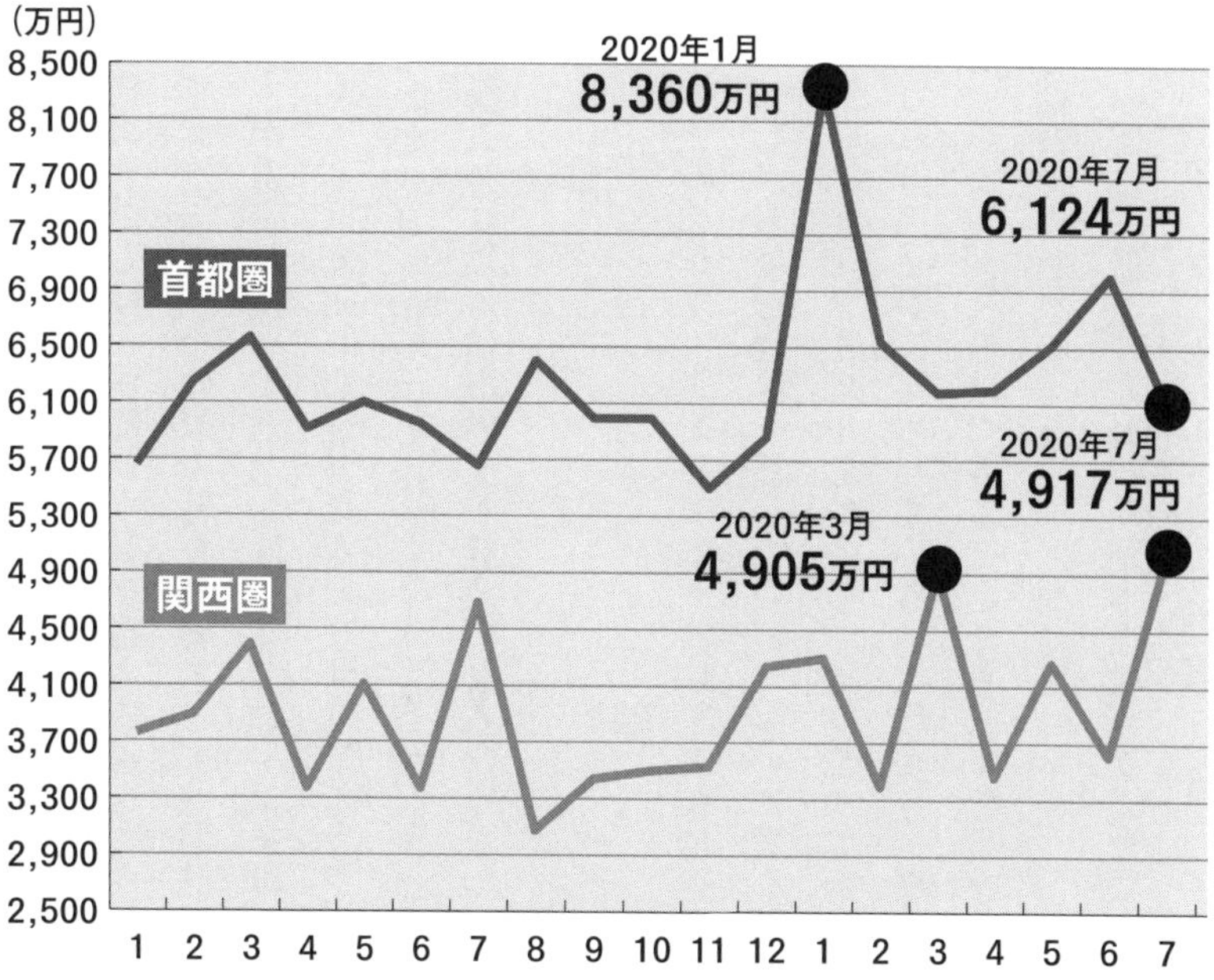

出所　不動産経済研究所「マンション・建売市場動向」

もはや不動産は優良なものしか資産にならない

「基準地価　商業地5年ぶり下落　3大都市圏住宅地もマイナス」

国土交通省が29日発表した7月1日時点の基準地価は、全国平均（全用途）の変動率が前年比マイナス0.6％となり、2017年以来3年ぶりに下落に転じた。商業地はマイナス0.3％と5年ぶりに下落に転じ、住宅地はマイナス0.7％と下落幅が拡大した。

（毎日新聞　2020年9月29日）

らは、今の20代の人たちは、住宅ローンを抱えて家を買うという考えをやめるだろう。住宅ローンを25年間抱えて、その家1軒や鉄筋アパートが財産になると思った時代は、もう終わった。収入が安定している人たちは、まだローンを組んで家を買うだろう。しかし大企業であっても、もう安定した経営はない。サラリーマン（労働者）の収入が安定しない時代になったので、月々10万円も住宅ローンを払い続けるなんて、とてもできないことだ。だから、優良物件以外は不動産が資産にならなくなった。このことを本気で考えるべきだ。

企業は、コロナのテレワーク（リモート・ワークなら英語になるだろう）が起きて、どんどん会社を都心から周辺地区へ移している。高い家賃を払っているのがイヤになった。会社のオフィス・スペースが縮小している。そうやって企業のオフィス家賃の月400万円を半分の200万円とかに減らしている。これが今、平気で行なわれている。立派なオフィスなんかいらない。社員はできることなら家で仕事をしたい、と思っている。バカみたいな通勤地獄の時代が終わった。

コロナ騒ぎの間に、都心の高層ビルが本当にガラガラに空《す》いてしまった。東京オリンピックもきっと中止で、もっとひどいことになっていく。都心ほどガラガラだ。オリンピック景気を当て込んで高層ビルで開業したホテル業者たちは真っ青だ。博奕打ち並みに不動産投資やホテル投資をやっていた人たちも、青ざめている。

だいたい外国への飛行機が飛ばないから、外国人旅行者が日本に来ない。日本人も外国に行けない。このバカみたいな実情を、新聞が記事にしない。テレビも報じない。異常事態が当たり前になってしまった。

人間を外国に運ぶ飛行機が飛ばなくても、物流《ぶつりゅう》は止められない。輸出・輸入の貿易を止めたら、経済が死ぬ。コロナのバカ騒ぎのときも、国内のコンビニとスーパーだけは絶対に閉じなかった。鉄道も止まらなかった。これらは生活のインフラであり、ライフラインだから止められないのだ。

スーパーでも、「マスクをしてください」と言うけれども強制ではない。私はずっとマスクをしなかった。デパートに入ろうとして、マスクを着けていなかったから、入り口で羽交《はが》い締《じ》めにされた。4人がかりで「絶対に入《い》れない」と（笑）。

これから4年後の、2024年までは、トランプが金融市場をなんとかするだろう。市場が大きく崩れそうになったら、また政府の金《かね》を突っ込んで支える。それを繰り返す。しかし、だんだん雲行きが怪しくなる。２０２３年ぐらいから、早目に警戒態勢に入るべきだ。

ほとんどの人は、専門家たちまで含めて、日本政府の言うこと（大本営《だいほんえい》発表だ）を信じてボケっとしているだろう。そして、預金封鎖と新円切り替えにひっかかって自分の大切な金融資産を失うだろう。昭和21（１９４６）年2月に起きたことが、また起きる。あのときから78年が経《た》った。２０２４年から２０２５年には、政府によるジャブジャブ・マネーの、ヤラセのつっかえ棒は役に立たなくなる。世界はニューヨーク発で大恐慌に突入するだろう。

私はこのことを6年前からずっと書いてきた。だから、知っている人はみんな知っている。ただこの予言を理解したくない人たちが、まだまだいる。彼らは体制派であり、今のままの世界が続くほうが自分にとって都合がよくて、ヌクヌクできるのだ。しかし、こういう特権階級の人たちの時代がやがて終わる。私はしつこく、しぶとく、どこまでもこのように書き続ける。

3章

国《くに》に狙われる個人資産

バフェットはなぜ金鉱山の株を買ったのか

金融・経済が専門である雑誌、新聞たちもバカではないから、分かっている。しかし、本当のことが言えない。書けない。日本の国家財産を任《まか》されて（委任契約）運用している大手の年金ファンド・マネージャーや、銀行、証券、生保の資金部の連中も、金《きん》を買えばいいのに買わない。買うと叱《しか》られるらしい。

ところが、ネブラスカ州のオマハに住む、投資の神さまで、〝オマハの賢人《フィロソファー》〟と言われるウォーレン・バフェットが、遺言《ゆいごん》でもするかのように、急に「金《きん》を買う」と言い出した。記事を2本載せる。

「金鉱株が軒並み上昇、バフェット氏のバリック組み入れを好感」

8月17日の米株式市場で、（金鉱山株の）バリック・ゴールドの株価が急伸し、2013年2月以来の高値を付けた。終値は、11・6％高の30・13ドル。著名資産家ウォーレン・バフェット氏率いるバークシャー・ハサウェイが、ポートフォリオに同社を加えたことが好感された。

世界の産《さん》金《きん》会社（金鉱山）の株をバフェットが買った

各社発表から作成
（2018年）

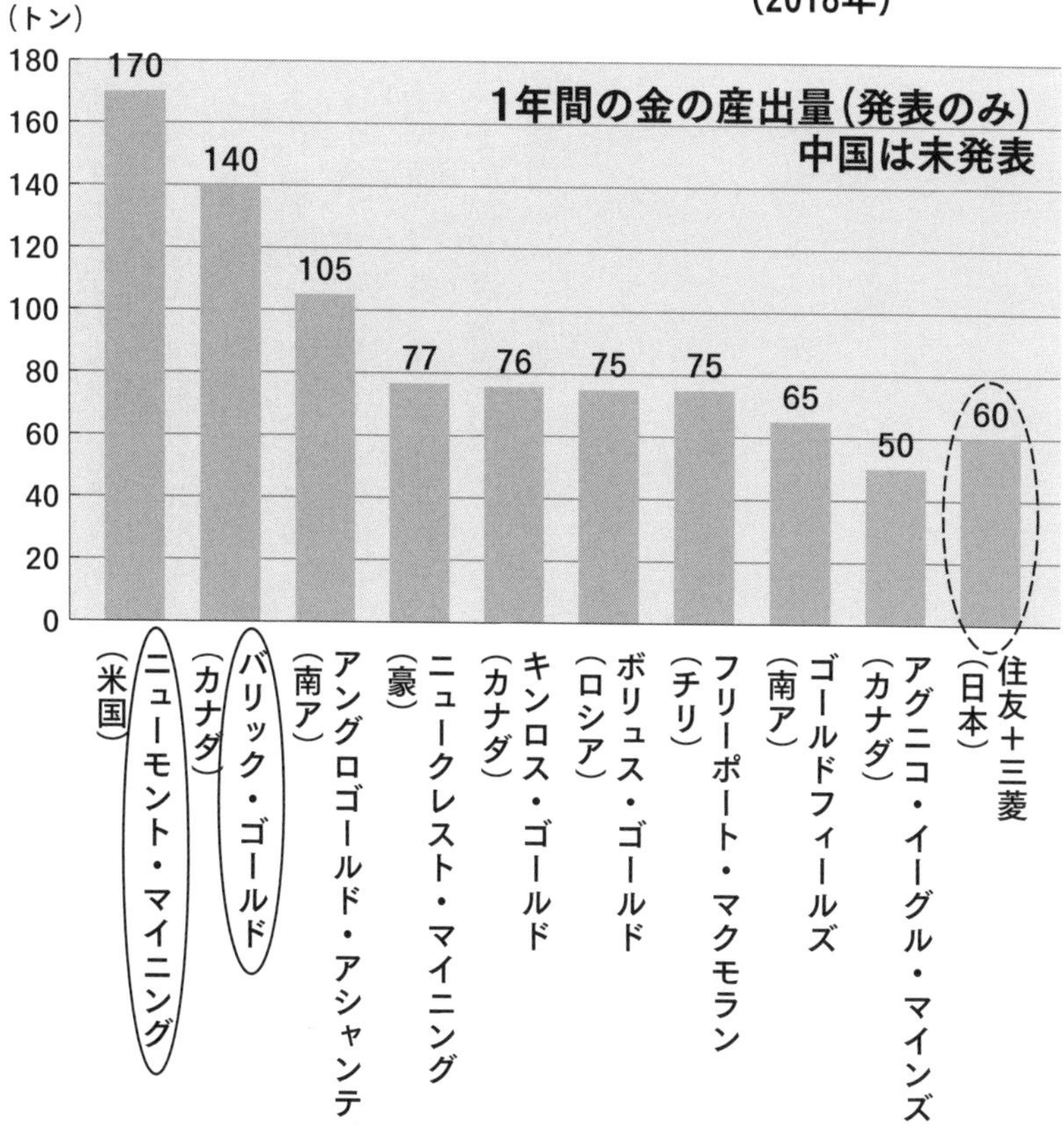

金は年間、世界で3000トンぐらいずつ採掘、生産されている。ところが正確な数字が分からない。金鉱山以外からも出る。

当局への8月14日の届け出によれば、バークシャーは、6月末時点でバリック株を2090万株保有。17日の米株市場では、ニューモントやキンロス・ゴールド、ハーモニー・ゴールド・マイニングなど他の金鉱株も軒並み上昇した。

バフェット氏は過去、金への投資について、農場や企業と違って生産性がないことを理由に（買うべきでないと）注意を促していた。

カナダの金鉱会社フォスタービル・サウス・エクスプロレーションのブライアン・スルザーチャック最高経営責任者（CEO）は、「バフェット氏の金鉱株投資は明らかに非常に興味深いことであり、一般的な関心も少し高まるだろう」と電話インタビューで述べた。

（ブルームバーグ　2020年8月18日　注は引用者）

続けて別の記事を載せる。

世界の産《さん》金《きん》会社（金鉱山）の株価

（チャートは直近1年間。株価は2020年10月7日現在）

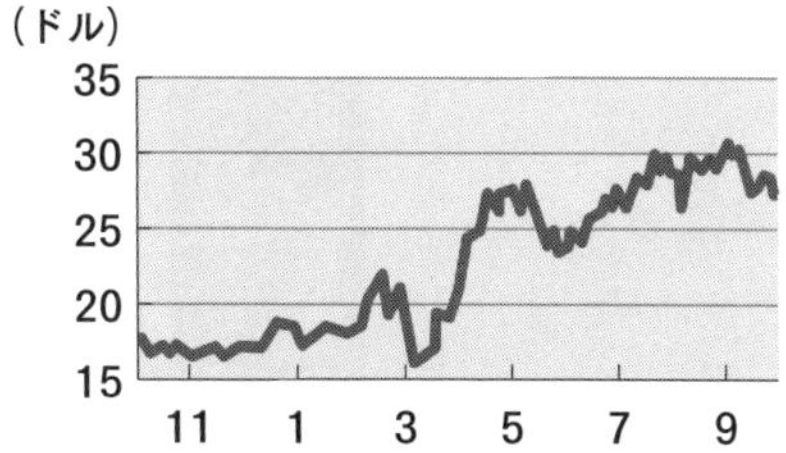

バリック・ゴールド
26.95ドル

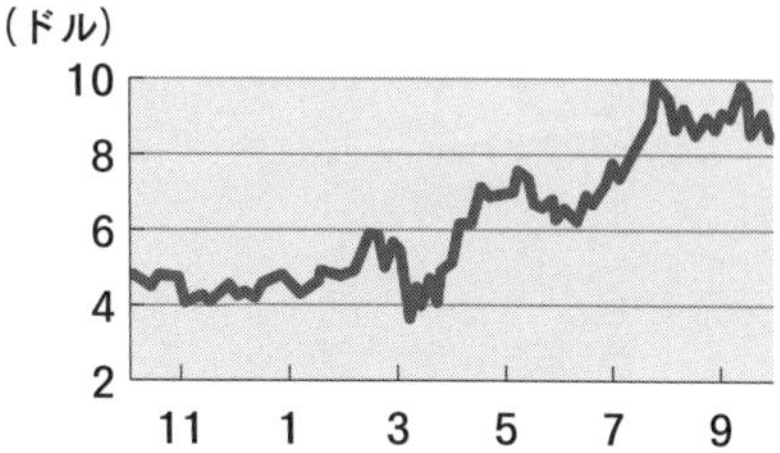

キンロス・ゴールド
8.43ドル

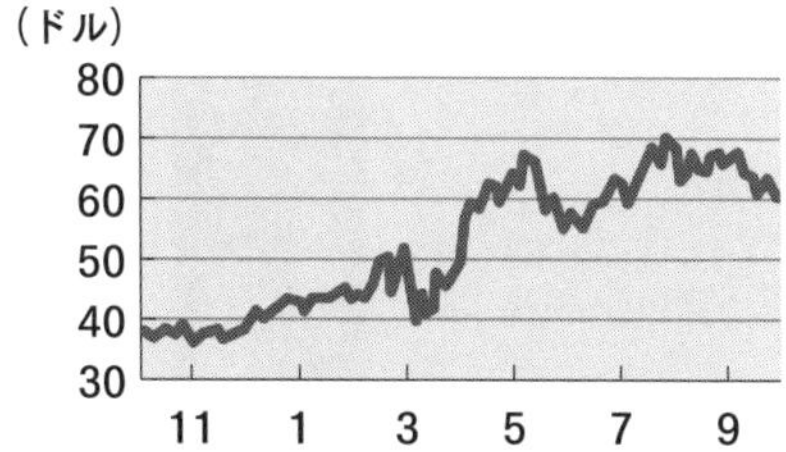

ニューモント
61.17ドル

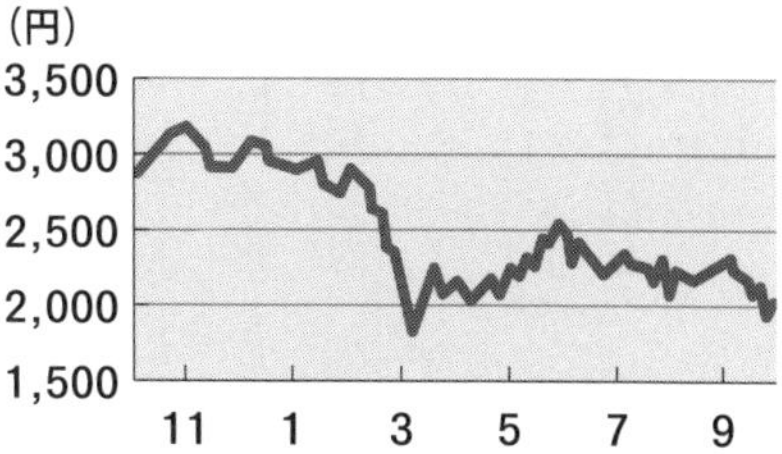

三菱マテリアル
2,054円

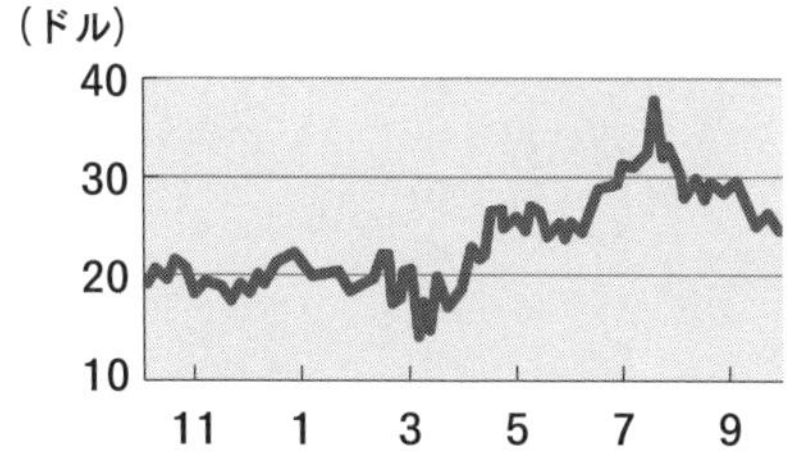

アングロゴールド・アシャンティ
25.49ドル

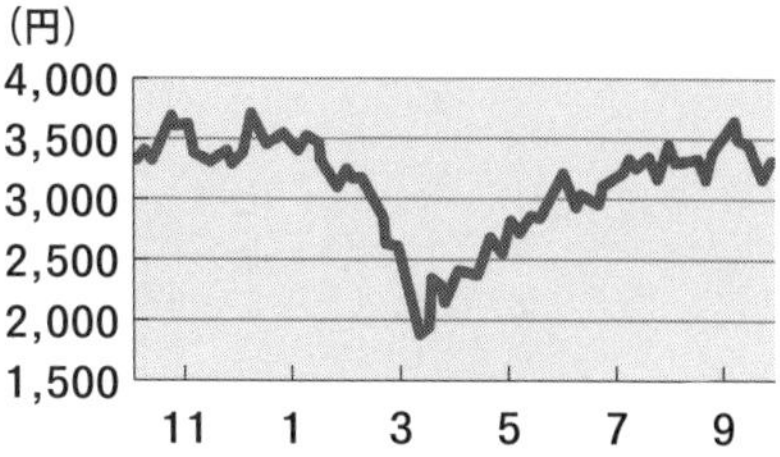

住友金属鉱山
3,270円

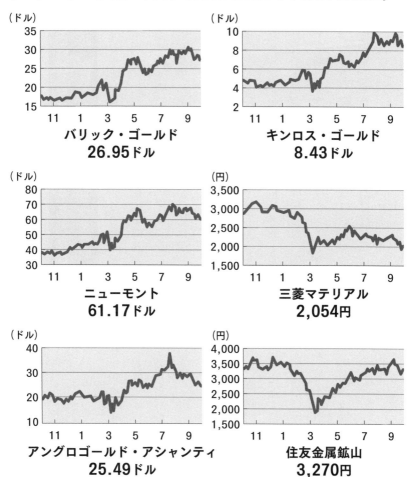

「金《きん》に群がるファンド勢　金ＥＴＦ・金鉱株にマネー　財政・金融拡大、将来のインフレを警戒」

欧米ファンドの金買いが膨《ふく》らんでいる。著名投資家レイ・ダリオ氏やウォーレン・バフェット氏は、相次いで4～6月期に金《きん》関連銘柄を増やした。背景には、短期的な値上がり益の追求だけでなく、将来のインフレに備えて金を選ぶ動きがあるとみられる。歴史的高値圏にあっても金買いが途切れない一因となっている。

ダリオ氏率いる世界最大のヘッジファンド、米ブリッジウォーター・アソシエーツは、６月末時点で金上場《じょうじょう》投資信託（ＥＴＦ）の「ＳＰＤＲ《スパイダー》ゴールド・シェア」を５４６万口、「アイシェアーズ・ゴールド」を、１５７９万口保有し、両銘柄を3月末から35％増やした。金額換算では計11・８億ドル（１３００億円）に達する。今月中旬に米証券取引委員会（ＳＥＣ）に提出した四半期保有報告書で明らかになった。

他にも米老舗《しにせ》のキャクストン・アソシエーツなどが金ＥＴＦを大きく増やした。一方、バフェット氏の率いるバークシャー・ハザウェイは金鉱株のバリック・ゴールドに５・６億ドル（６００億円）を新たに投じた。

レイ・ダリオ（71歳）
Ray Dalio

ウォーレン・バフェット（90歳）
Warren Edward Buffett

（日本経済新聞　2020年8月21日　傍点は引用者）

このように、ウォーレン・バフェットは産金《さんきん》会社（金鉱山）の株を軒並《のきな》み買い始めた。そして「銀行株や航空会社の株は、投げ捨てろ」とバフェット自身が言っている。ただし、一気に大量売りをすると、それらのアメリカの基幹産業が暴落するから、遠慮してまだ大量には売っていない。しかしウェルズファーゴやゴールドマン・サックスの株はすべて売り払ったようである。金融法人の株なんて、もう成長がないということだ。「お金でお金を儲けよう」とか「お金がお金を生む（利子のこと）ところに投資せよ、というのは、もう死んでしまったコトバだ。こんなゼロ金利、マイナス金利の時代は金融業界が威張れる余地はない。彼らは人騙《だま》しの詐欺師の集団だったのだ。

バフェットの先読みは大事だ。バフェットは、この10年間に買ったアメリカの大手企業の株をどんどん売り続けている。しかしコカ・コーラとか、IBMなどの昔ながらの企業の株はずっと持っている。それと、GAFA《ガーファ》などの巨大テック企業の株はまだ持っている。P206で説明する。

それからバフェットは、日本の5大商社の株も軒並《のきな》み、一気に5%ずつ買った。PBR《ピービーアール》（1株当たりの純資産率）が1を割って0・9などという、超《ちょう》安値の株のまま放置されていた商社株に目を付けた、というのは流石《さすが》である。〝バリュー投資〟（隠れた安値株を見つめる）のバフェットの神技《かみわざ》を見た思いがして、日本人投資家は皆、ハッとしたのではないか。

「バークシャー、5%を超える商社株を取得―伊藤忠や三菱商など5社 」

米投資・保険会社バークシャー・ハサウェイは日本時間8月31日、「日本の5大総合商社株を、（すべて）5%をわずかに上回る比率まで取得した」と発表した。伊藤忠商事、三菱商事、三井物産、住友商事、丸紅の5社をそれぞれ取得した。「それぞれの株式について、長期保有を目的としており、価格次第では最大9・9％まで保有比率を高める可能性がある」とした。

発表資料によると、5大商社の株式は、過去約12カ月間に東京証券取引所で取得した。子会社を通じて同日に関東財務局に大量保有報告書を届け出る計画で、「投資先の取締役会からの合意が得られなければ9・9％を超えて取得することはない」としている。

バークシャーを率いるウォーレン・バフェット氏は、発表文で、「バークシャー・ハサウェイが、日本や投資先として選んだ日本の商社の未来を共有できることをうれしく思う」とコメント。「5大商社が世界中で多くの合弁事業を手掛けており、こういった取り組みをさらに増やす可能性がある。将来、相互利益の機会が生まれることを期待している」との見解を示した。

発表を受けて5社の株価は一時前週末比6％高以上に急伸。丸紅は同14％高の666・2円と、2008年10月30日以来の日中上昇率を付けた。

（ブルームバーグ　2020年8月31日）

バフェットが買った日本の５大商社の株（銘柄）を、私は巻末に載せた。まだまだ買い余地がある。

この10年ぐらい、〝ROE《アールオウイー》投資（Return on Equity　自己資本利益率）〟という悪質な金融手法（錬金術《れんきんじゅつ》）が蔓延《はびこ》っている。企業が借金を増やして、１株当たりの自己資本を減らして世界の同業他社の株を買い漁《あさ》るという不愉快きわまりないM&A《エムアンドエイ》（企業乗っ取り、買い取りのやり方）がのさばった。借金と自社株の希釈化《きしやくか》（水増し）ばかりが進んで、日本の大企業はアメリカに大きく騙《だま》された。

その典型が、老舗《しにせ》製薬会社である武田《たけだ》薬品が嵌《は》められたケースだ。クリストフ・ウェバーという、とてもまともなフランス人とは思えない秘密結社の人間に、武田はボロボロにされた。６兆円でイギリス（本社はアイルランド）のシャイアー社という同業を買ったのに、なぜか逆転して、イギリスのグラクソ・スミスクライン社から来たクリス・ウェバー（２０１４年に武田に入社して、すぐに社長になった）というワルに武田は乗っ取られた。逆買収だ。武田の真面目な研究開発部門は解体されてしまった。

そろそろ私たちは目を醒《さ》まして、本業の「もの作り」の大切さに立ち戻るべきである。「もの作り」こそは、日本民族の知恵である。世界中が、日本企業のモノヅクリ monozukuri の力を深く尊敬しているのである。

「中間業者」に金を売る

では、金《きん》を売るときの売り方を説明する。買った所に売りに行く、のが基本である。だが、それだと高額（金10キログラムとか）の場合、税務署に目をつけられる。

そういうときは、友だちに売りなさい。お金に余裕のある友人、知人に売るべきだ。彼らが新しく生まれた「中間業者」である。P86で少し前述した。彼らに「金は、もっと上がる。だけど、今は手元に現金が必要だから、買ってくれ。市場価格の1割引でいい」と言えば買ってくれる。

親兄弟、親戚《しんせき》、友だちでいいから、売りなさい。買ってくれそうな人を見つけなさい。余裕がある人は、あなたの金《きん》を買ってくれる。その人たちに市場値段よりも少し安い価格で売りなさい。その人たちは、金がこれからまだ上がることを分かっている。あなたも買ったときより2倍、3倍になっているから、それで満足して売ればいい。そして、まだまだ手元に残っている金《きん》を、じっと持っていればいいのである。売り買いの契約書を簡単な紙に書いて残しておけばいい。

売ったあと、税金が問題になる。買ったときの値段と売ったときとの差額が利益だが、その利益（課税所得）の30％ぐらいの税金がかかる。普通の小金持ちは、「払えばいいんでしょ」と、その30％をさらっと払う。

ただ、税金を払わなくて済む方法がある。それが一旦《いったん》、友だちとか親戚に売るということだ。それを本気でやりなさい。買いたい人を見つけて売りなさい。5年もすれば、前述した通貨制度の大変動《カレンシー・オーダー》（大混乱）が来るから、そのときに実物資産の王者である金《きん》は、一体いくらの価値《ヴァリュー》があるか、もう分からなくなる。そのときが狙い目だ。売って、別の実物資産に買い替えなさい。

すでに個人（業者ではない）で、金《きん》を買ってくれる人々が出現している。彼らが、経済法則に従って生まれる中間媒介者《ばいかいしゃ》であり、中間業者だ。中間業者は、また金が上昇して儲かると分かっているから買う。

この人たちは「業者」といっても、プロの業者ではない。商人、商店ではない。個人な

金地金の小分け。相続のために切実な人はやりなさい

1kgをそのまま売却した場合	1kgを10個に精錬加工して分割、そして売却する場合
1kgのインゴットを売却→**約600万円**の金額を受け取る	1kgのインゴットを精錬加工し、100g×10個に分割→100gを1つ売却すると**約60万円**
200万円超は、お店側が支払調書を**提出する**	200万円以下は、お店側で支払調書を**提出しない**
所得に売却利益が加算され、一気に**税金が増える**	一気に**税金が増えない**

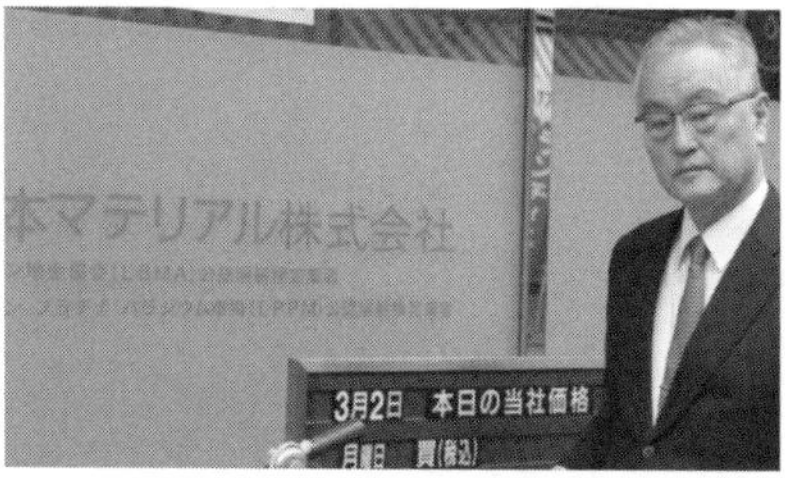

「日本マテリアル」社がいい

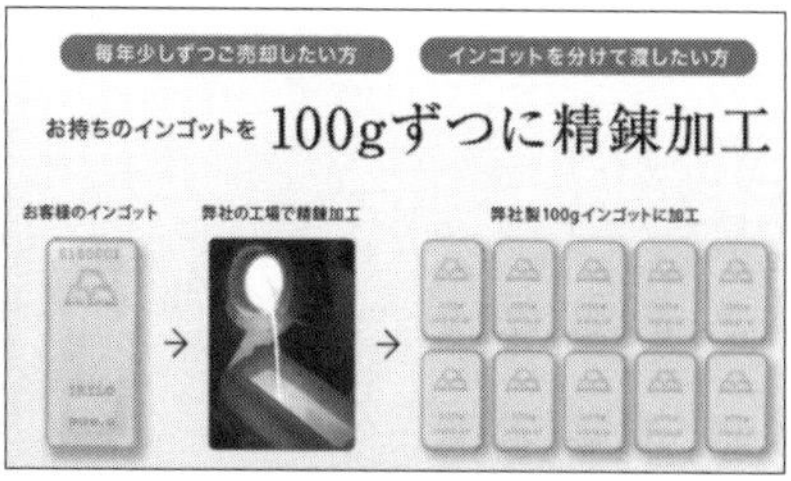

加工賃は170,000円(税別)

のである。金《きん》を掻《か》き集《あつ》める人たちがすでに出現している。この人たちは副島理論をよく分かっていて、金価格は今から3倍、5倍になると分かっている。だから金《きん》を買い取る。買い取る資金を持っている。

こういうことを書くと、日本の国税庁や財務省は、「副島、このやろう」と私を狙うだろう。しかし、世の中で、モノ（財物《ざいぶつ》）の売り買いは自由だ。国家統制とは闘わなければいけない。私たちは、税金を払うために生きているのではない。税金など、できることなら払わなくてもかまわない。国家（政府）というのは、根本において強盗団、暴力団である。歴史上、ずっと存続してきたから、存在しているだけだ。

財産税が狙う国民の個人資産

日本経済新聞の6月24日の記事がものすごく重要なので、まず、これを読んでもらう。

日銀の（日本の）資金循環表

	資産	負債
個人（家計）	1900兆円	300兆円
企業	1200	1800
政府（海外含む）	1400	2300
日銀	600	500
金融法人（銀行）	2500	2700
計	7600兆円	7600兆円

この表で、日本経済を流れる血液であるお金についての動きが大きく分かる。

MMT理論では、会計理論に従い、政府が国債を発行することで国の借金である「負債」が増えても、個人や法人がその国債を買うことによって、家計や企業にとっては「資産」となるので問題ない、とする。つまり「国の借金は民間の財産」という理論である。

だから国はいくら借金してもいい、というオカシナ理屈を唱える。

「財産税は回避できるか　確率ほぼゼロでも備えを」　編集委員　前田昌孝

終戦直後の混乱を伝え聞いた人は、財政危機というと「最高税率90％の財産税の導入や預金封鎖、強烈なインフレ」を想起するだろう。

日本の純《じゅん》政府債務は、２０１９年末で８５８兆円と巨額だ。だが、対外《たいがい》純資産（引用者注。貿易黒字が貯まったもの）が世界一のため、「財政破綻など起きるはずがない」と主張するエコノミストも多い。

２０１９年末の個人金融資産は（個人の金融）負債（注。ほとんどは住宅ローンのこと）を引いて１５７５兆円と純政府債務の１・８倍あるから、「まだ大丈夫」ともいえる。

しかし、政府が閣議で「（財政破綻は）絶対に起きないから、備える必要がない」と決めても、百パーセント安心はできない。観点は異なるが、２０１３年にフランスの経済学者トマ・ピケティが著した『21世紀の資本論』では、所得・資産格差の拡大を抑制のために、世界的な資本税（財産税）を導入すべき、と提案していた。経済評論家の田中直毅《たなかなおき》・国際公共政策研究センター理事長は6月12日のＮＨＫラジオで、財産税の導入論に触れていた。ツイッターでも財産税の話題が増えている。

　仮に日本に余力があっても、海外から「（財政破綻が）輸入」される恐れがある。大手の債券投資家は、世界中の国債を保有している。米国の国債利回りが（債券市場《ボンドマーケット》の混乱で）急騰すれば（注。4、5％に上昇）、損失の穴埋めのために日本や欧州の国債も売るだろう。国債の利回り《イールド》は世界で急騰《きゅうとう》し、どの国も（注。これまで過剰にやってきた）国債発行による財政資金の調達が困難を極め、ヘタをすると人の命にかかわる行政サービスが止まるかもしれない。

　……具体的にはどんな準備をすればいいのだろうか。多額の資金を持つのは富裕層だから、財政の穴埋めを富裕層に求めるのが論理的な帰結だ。ただ、いくら救国だと訴えても、（日本人が）得意の「同調圧力」（注。他の人がするとおりにする）に頼れるとは思えない。今のうちから（富裕層に）予定寄付額を申告してもらい、非常時に実行してもらう手もある。だが、最も協力的な人でも、せいぜい自己の金融資産の20％が限度だろう。後述するようにこれではまったく足りない。

　やはり強制措置を念頭に置く必要がある。**１９４６年２月16日に、政府が発表した金融緊急措置令は、２月17日に預金封鎖をし、５円（注。現在なら５万円）以上の従**

来紙幣を強制的に銀行に預金させ、3月3日に従来紙幣を無効にした。その後、1世帯1カ月当たり500円（注。現在では500万円）までを新紙幣で預金口座から引き出せるようにした。同時に臨時財産調査令も発動し、3月3日、午前0時時点の全金融資産（海外在住個人は国内資産の全額）を申告させた。

11月11日には財産税法が成立し、生活に必要な資産以外のすべての資産の3月3日時点の評価額（債務や公租公課を除く）を、翌47年1月31日（後に2月15日に延期）までに申告させた。25～90％の累進税率に基づいて、申告期限後1カ月以内に現金納付か物納を求めた。日本初の申告納税制度だったが、税逃れを防ぐため、課税価格が50万円（注。現在でなら金融資産50億円）を超える人の、申告内容の公告や申告書の縦覧《じゅうらん》、第三者通報制度の導入で**脱税者を摘発した。**

一連の措置が戦後のハイパーインフレを招いたのではなく、戦時中の物資調達と戦後に復員してきた軍人軍属の生活費のための通貨の発行急増で激しいインフレが起きた。このため、一連の措置で貨幣流通量を抑えようとした。しかし、大きな混乱が起きた。すでに前年の45年11月6日付の外電で、新円発行と財産税創設という大蔵省の方針が報道されたためだ。**換物運動が激化し、インフレが一段と悪化した。**

国民が保有する金融資産別の階層分け

階層区分	世帯数	保有資産	保有資産の総額	1世帯当たりの保有資産
超富裕層	8万4000世帯	5億円以上	84兆円	10億円
富裕層	118万世帯	1億円～5億円	215兆円	1億8147万円
準富裕層	322万世帯	5000万円～1億円	247兆円	7666万円
アッパーマス層	720万世帯	3000万円～5000万円	320兆円	4443万円
マス層	4203万世帯	3000万円以下	673兆円	1601万円
合計	5372万世帯		1539兆円	平均2865万円

出所　野村総合研究所（日本経済新聞電子版　2020年6月24日）をもとに副島が作成

預金封鎖後、しばらく物価は落ち着いていた。ところが、47年からは巨額の財政赤字と復興金融公庫融資によって再びインフレが加速した。復金《ふっきん》は47年1月に設立され、49年3月に活動を終えた。だが、この間、日銀引き受けで多額の復金債《ふっきんさい》を発行し、「他の金融機関から融資を受けられない事業」に、どんどん資金を供給した。戦後の復興を急ぐ政府も激しいインフレ（注。物価が急激に10倍になった。1000％のインフレ）の高進を黙認した。

財産税は、月々の修繕《しゅうぜん》積立金だけでは大規模修繕ができなくなった高経年マンションが、区分所有者から多額の一時金（注。1戸当たり500万円とか）を徴収するようなものだ（注。うまい喩《たと》えだ）。

家計の資産分布が、野村総合研究所の2017年時点の推計通りだとすると、財産税は（注。不動産を除いた）金融資産だけに課すことにして、累進税率を資産のうち3000万円まではゼロ。その後、5000万円まで10％。その後1億円まで20％。その後5億円まで30％。5億円以上は40％。と設定すると、税収は105兆円にしかならない。

「財産税」が実行されたときの世帯当たりの負担額

階層区分と保有資産額	保有資産3000万円までを0%、5000万円まで10%、1億円まで20%、5億円まで30%、5億円以上40%（上段が1世帯当たりの負担額。下段がそれによる税収）	税率を左の2倍にした場合	税率を3倍（資産1億円以上はすべて90%）にした場合
超富裕層 5億円以上	3億2000万円	6億4000万円	8億4600万円
	28兆円の税収になる	56兆円	71兆円
富裕層 1億円～ 5億円	3652万円	7304万円	1億0967万円
	43兆円	86兆円	130兆円
準富裕層 5000万円～ 1億円	733万円	1466万円	2200万円
	24兆円	47兆円	71兆円
アッパーマス層 3000万円～ 5000万円	144万円	289万円	433万円
	10兆円	21兆円	31兆円
マス層 3000万円 以下	全部 0円		
国の税収合計	105兆円の税収	210兆円	303兆円

財産税（の取り立て）などめったにできることではないから、政府は一度で多くの税収を確保したい。しかし、（政府が一気に）300兆円の税収を見込むのならば、税率は資産のうち3000万円まではゼロ。その後5000万円まで30％。その後1億円まで60％。1億円以上は90％。にする必要がある。非金融資産（注。不動産への重課税）にも課税するから、多少は軽減されるかもしれない。だが、確実に許容限度を超える（注。国民の担税力《たんぜいりょく》を超える）。手法《やりかた》を間違うことで、大量の換物《かんぶつ》運動や資金の海外逃避を招けば、急激な物価上昇や円安をもたらす恐れもある。

なおこの計算は、野村総研が、純金融資産保有額の階層別（マス層から超富裕層までの5階層に分けた）に推計した世帯数と、それぞれの保有資産規模から、階層別の1世帯当たり純金融資産額をはじき出し、これに累進《るいしん》税率を適用して各階層の世帯平均の財産税額を算出したものだ。これに階層別の世帯数を掛け合わせて階層別の税負担総額を出し、これらを合計した。超富裕層の資産分布がもっと詳細にわかれば、より正確な推計ができる。

「（注。筆者に対して）脅かすような記事を書くな」という批判もあろうが、1つだけ覚えておいてほしい。3000万円以上の金融資産を持つ1169万世帯（全体の21・8％）にかなり強烈に財産税をかけ、なかでも1億円以上を持つ126万世帯（同2・4％）からは1億円を超える分の90％を没収しても、日本の純《じゅん》政府債務（注。今や1000兆円弱ある）の3分の1程度しか穴埋めできないのだ。日本の財政赤字は、「帰らざる河《かわ》」を渡ってしまっている。

財産税の公平な課税のためには、全資産を申告させ、税逃れを防ぐことが重要だ。だが、（その場合の）法人資産の扱い、課税資産と非課税資産の区分け、など決めなければいけないことは山ほどある。「個人課税（としての財産税をかける）前に（もっと余裕のある）大企業の内部留保《ないぶりゅうほ》を供出させろ」という声が出るかもしれない。だが、内部留保が、換金性のある資産になっているかどうかわからない。加えて株価や信用秩序への影響を考えると、そう簡単ではないだろう。

電子マネー時代とはいえ、大量の新紙幣を準備しておく必要がある。秘密裏に議論し、一気に実行するのも選択肢だ。だが、情報漏れするリスク、新紙幣の印刷は困難なこと、発表時に起きる大混乱などを考慮すると、議論は公開で進め、国民に事前に手順を理解してもらっていたほうがよさそうだ。口座を分散する、紙幣を地中のかめ

（甕）に隠す、海外口座に移すなど抜け道ができないようにしなければならない。

もちろん財産税などありえないというのが、筆者のメインシナリオだ。財産税ではないが、インドは、２０１６年11月8日に「4時間後に１０００ルピー紙幣と５００ルピー紙幣の強制通用力を停止する」と突然発表し、大混乱をもたらして世界に嘲笑された。お金にかかわることは入念に準備しても、混乱が不可避である。それでも（国、政府は）無防備ではいけない。どう猛な市場のマネー（注。外国から緊急時を狙って襲いかかって投機資金《ショート・マネー》）も、規律が高く、隙《すき》を見せない国（に対して）は攻めにくいのではないか。

（日本経済新聞　電子版　２０２０年6月24日　傍点、太字、注は引用者）

長々と記事を載せた。しっかりと文章を読む力のある人には、この記事の重要性が分かるだろう。ただの真面目《まじめ》な日経新聞の記者が、ひとりで丹念に調べて書いた調査報道（インヴェストゲイティヴ・ジャーナリズム）の記事には思えない。この記事は、「国民の金融資産への財産税《アセット・タックス》」の課税を、緊急事態には強行しようとして綿密《めんみつ》に研究している政府の部署と、そこから研究委託を受けて政府と「財産税の強行」を模索している野村総合

これらの一連の動きが4年後(2024年)に起きる

米ドル暴落が起きる。
（おそらく1ドル＝10円に）

↓

ハイパーインフレが来る。

↓

政府が預金封鎖
bank account clamp down《バンク アカウント クランプ ダウン》をする。

↓

新札切り替えredenomination《リデノミネイション》を実施。
旧札持参には、財産税(20%)を掛ける。

この4本立ては私のブランドだ

研究所が共同合作した仕事の、意図的な外部への漏らしにしか思えない。非常に重要な記事である。

これは金持ち（富裕層）国民に対する重大な警告の文になっている。金融庁と、国税庁が実施官庁（当局）として裏に控えていることが透《す》けて見える。

「緊急時には（80年に一度の）財産税をやるぞ」という、国家側からの戦闘開始宣言の宣言文である、と私は判断した。預金封鎖、新円切り替え（リデノミネイション）、ハイパーインフレの襲来を20年前から予測し予言してきた私が、これにビリビリと反応しない訳《わけ》がない。この大本営《だいほんえい》発表の前触れ（警告文）を察知した私は、これに鋭く反応する。

国の標的は小金持ち層（資産家）だ

だから思いつくままに、この長文の記事に対して、解説、解剖《かいぼう》を加える。

まず、P151の「国民が保有する金融資産の階層分け」の表に対してだ。超富裕層、富裕層が合計で126万世帯《ハウスホールド》いる。この126万世帯の大金持ち、という分類は、20年前もシティバンクが出していた数字だ。「日本には金融資産（不動産を除く）で1億円以上を持っている人が120万人いる」という発表を、20年前にシティバンクがよくやっていた。この考えを踏襲《とうしゅう》していた。その基礎資料を野村総研が引き継いだのだ。

そしてこれに「準富裕層」と「アッパーマス層」まで、というコトバでまとめて、合計1169万世帯（全体の21・8％）が、いわゆる上級国民ということになる。このコトバは現在の流行《はやり》言葉である。この上級国民が合計866兆円の金融資産（預金、貯金、株式）を持っている、としている。そして、残りの673兆円を「マス層」が持っている。このマス層（mass）というのが、いわゆる下流（下級）国民である。分かりやすく言えば貧乏人である。

だが、階層分類で見ると、このマス層が4203万世帯もいる。世帯（ハウスホールド）というのは元々、ヨーロッパとアメリカの人口統計学（デモグラフィー）という考えから来たコトバだが、今では、簡単に言えば、「家族2人」という意味だ。今や夫婦か、親子で2人が家族の基本なのである。このP151の表で日本の全《ぜん》世帯数が5372万世帯となっているので、これを掛ける2（×2＝）すると、1億7000万人となって、今の日本国民人口1億2600万人に近い。この他に300万人の外国人（移民、出稼ぎ労働者）がいる。観光客は入れない。

だから2人世帯を基準に考える。超富裕層（金融資産5億円以上）が8万4000世帯ということは、この2倍の17万人が超大金持ちということだが、「金持ちの奥さん、子ども」とは、父親《オヤジ》が死んだら100億円（含む不動産）の財産（この半分は相続税の税金が持ってゆく）が入る人たち、という意味だ。だから、大《おお》金持ちの奥さん、子ども（ただのサラリーマンだったりする）まで大金持ち、と単純に考えられない。だから世帯という考えで、ここは乗り切るのだ。ゆえに、「超富裕層8万4000世帯」というのは、8万4000人の大《おお》金持ち、と考えればいい。たしかに、これぐらいの数はいる。大企業経営者一族は、ひとりこれぐらい平気で持っている。それから大地主層《だい》がいる。

このようにして日本人の上《うえ》の2割（21・8％）が上級国民（金持ち）で、下の8割（78・2％）が下流国民ということである。このように日本政府が（野村総研を使って）明確に、国民を分けて考えている、ということだ。

だから、この野村総研発表の表は、以後、ものすごく重要になる。この表を使って、国会での論戦も行なわれるだろう。

マス層（下流国民4203万世帯、8000万人）が、「保有資産3000万円以下（未満）で、平均で1601万円有《あ》る」としている。貧困層が1600万円も金融資産を持っているとは、とても考えられない。特に子育て世代と、20、30歳台のサラリーマンたちは、給料（賃金）を全部使ってしまうので預金（蓄《たくわ》え）なんか何もない（数十万円ぐらいは有る）。それなのに平均で1601万円有る、としてあるのは、そうだ、全国の老人たちの「郵便貯金1000万円（今は1200万円までになった）」の虎《トラ》の子がある。だから、たしかに有る。全国で2000万人の老人（高齢者）たちが、自分の最後の命綱《いのちづな》の、この郵便貯金1000万円を握りしめている。だから貧乏層でも金融資産が有ることは有る、のだ。

だが、同時に住宅ローン（国民の負債）の300兆円がある。これはP147に載せた「日銀の資産循環表」に載っている。これで30代のサラリーマンは、ひとり2000万円とかの住宅ローンを抱えているのでキツいのだ。金融資産が「平均でひとり1600万円あります」と言われても、このように同時に負債（借金）があるから、やっぱり貧乏だ。「アッパーマス層」（720万世帯）などと、訳《わけ》の分からないコトバを使うからいけないのだ。「一応、金持ちだけど下《した》の層」と書けばいいのに。この「金持ち下《げ》」までを入れた、2割の小《こ》金持ち（資産家）を狙って、国《くに》は財産税をやがて緊急時には掛けてくるだろう。このことが、いよいよはっきりしてきた。その意味で、この「日経新聞の前田記者の記事　2020年6月24日付《づけ》」は、以後、ものすごく重要になってくる。

「小金持ち（資産家）の皆さん。危ないですよ。あなたたちの資産が国《くに》に狙われていますよ。今すぐ対策を立てなさい」と、ずっと書いてきた、私、副島隆彦にとって、この記事は戦闘開始宣言（宣戦布告《せんせんふこく》）のように思える。これは、その証拠の文である。私は、「いよいよ来たか」と身構えて、日本国民軍の司令官《コマンダー》になったような気になって、眦《まなじり》を決して、敵を迎え撃つ気になってきた。

竹中平蔵。いよいよ、貴様《きさま》との決闘の時が近づいたな、という気分だ。ゲリラ戦、塹壕《ざんごう》戦、持久戦に持ち込んでも戦い続ける。勝つことはなくてもいい。決定的な負けにならないように、いつまでも、どこまでも、しぶとく戦い続けることが、大事なのだ。

この「日経前田記事」は、奇妙なことに、新聞紙《がみ》のほうには載っていなくて「電子版」だけなのだ。日経新聞自身が、何かを慮《おもんぱか》って（配慮して）、「ちょっとこの内容は、官製報道のようで気が引ける」とデジタル報道だけにしたのだろう。
だから、私の本の熱心な読者は、再度、この記事を真剣に読み返しなさい。所々に、私が勝手に（注）を入れてあります。よーく味わって読んでください。そうしたら、「あらあら、本当だ。副島の言うとおり、私の金融財産が狙われている」と気づくはずである。

世界の中央銀行3つの「資金の動き」が分かる

このあと、話は、もっと難しいほうに進む。ここから先は、世界の金融と経済を連動する先進国（米、欧、日）の各国政府と中央銀行が抱えている資産（本当は、負債、借金）が合計2400兆円に膨らんだ、という話である。本当に難しい内容だが、私たちの生活に直結することなので、コツコツと読んでください。そのあと、私が解説する。

「中銀、政府も企業も支える　20年末の総資産2400兆円に」

日米欧の中央銀行が、国債など資産購入（注。その代わりに中銀が政府にお札を渡す）を拡大している。

新型コロナウイルスで経済が停止し、緊急時の安全網として中銀が政府・企業の最後の支え手《ザ・ラスト・リゾート》となっているためだ。

2020年末の日米欧中銀の資産は、前年末比1・5倍（も増えて）約2400兆円と国内総生産（GDP）の約6割に膨張する。金融危機が起きた2008年末は（米、欧、日で合計）600兆円を下回っていた。経済復元には一段の政策が欠かせない。だが、金融政策《マネタリー・ポリシー》への過度の依存は、中銀の重荷となり、将来の正常化を困難にしかねない。

「今は政府債務の膨張を懸念する時ではない。経済の長期ダメージを避けるため、大型の財政支出を打ち出す必要がある」。米連邦準備理事会（FRB）のパウエル議長は4月29日の記者会見で、米政権に追加対策を促した。「（FRBは）米国債などは必要とされる量を購入し続ける」と付け足し、「米政府が国債を大増発しても、金利急上昇を招かないよう間接支援する考え」をにじませた。

米政権（注。米財務省）は、新型コロナ対策としてすでに3兆ドル（約320兆円）弱の財政出動を決定済みだ。それでも4〜6月期の実質成長率は12％減、年率換算なら40％もの大幅なマイナスが予想される。トランプ米大統領は、インフラ投資や大型減税など追加策の検討に着手している。新型コロナ対策は総額でＧＤＰの２割にあたる４兆ドル規模に達する（注。このあと、ＦＲＢの分も含めて６兆ドルに増えた）。

財政赤字も年に１兆ドルから４兆ドル規模に膨らみそうだ。３兆ドルもの臨時の国債増発（注。実際にはすべてＦＲＢが買う。引き受ける）は金利の急上昇を招きかねない。ただ、ＦＲＢは、すでに３月下旬に「量的緩和政策の購入量を無制限」に切り替えた。このためＦＲＢの国債の保有量は、３月からわずか２カ月弱で、１兆４千億ドルも増えた。足元でも月に２０００億ドル（20兆円）のペースで買い入れている。連邦政府（米財務省）が国債を３兆ドル増発しても、そのままＦＲＢがのみ込みかねない勢いだ。

欧州中央銀行（ＥＣＢ《イーシービー》）は、４月30日の理事会で、３月に決めた７５００億ユーロ（約87兆円）の量的緩和を、柔軟に進める考えを改めて示した。ラガルド総裁は、「必要なことは何でもやる」と主張しており、状況に応じてさらに拡大を検討する。２０

世界各国の名目《ノミナル》GDP比較

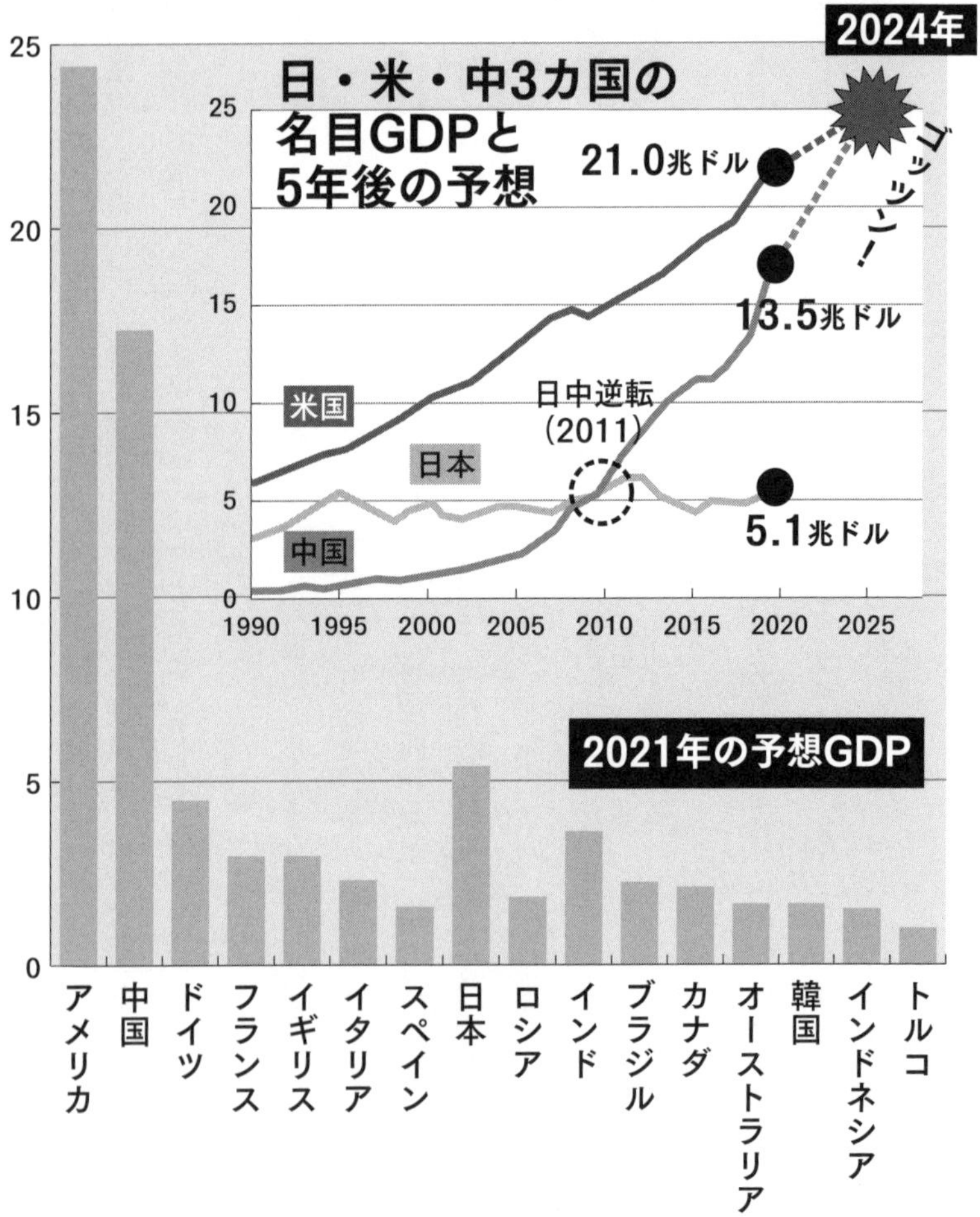

出所　IMFの資料から副島が作成

国名		GDP	世界全体に占める比率
アメリカ合衆国		24.6兆ドル	24.6%
中国		17.5兆ドル	17.5%
EU	ドイツ	4.4兆ドル	4.4%
	フランス	3.1兆ドル	3.1%
	イギリス	3.0兆ドル	3.0%
	イタリア	2.2兆ドル	2.2%
	スペイン	1.5兆ドル	1.5%
	その他	……	……
	全体	22.5兆ドル	22.2%
日本		5.4兆ドル	5.4%
ロシア		1.8兆ドル	1.8%
インド		3.5兆ドル	3.5%
ブラジル		2.2兆ドル	2.2%
カナダ		2.0兆ドル	2.0%
オーストラリア		1.6兆ドル	1.6%
韓国		1.7兆ドル	1.7%
インドネシア		1.4兆ドル	1.4%
トルコ		1.0兆ドル	1.0%
その他諸国		……	……
世界合計		100兆ドル	100.0%

２０年の国債などの資産購入量は、１兆ユーロ（１１６兆円）を大きく上回る見通しだ。

欧州各国も大規模な国債増発が避けられない。金融大手の（イタリアの）ウニクレディトの試算によると、２０２０年のユーロ圏の政府債務は、ＧＤＰ比で１１１％と前年の85％から大幅に膨張する見通し。ヨーロッパの各国政府（注。ＥＵ加盟国27カ国）は単純計算すれば合計で３兆ドル（３００兆円）以上の追加資金が必要になる。ユーロ共同債《きょうどうさい》（コロナ債）の発行が遅れ、ＥＣＢの国債購入が事実上の安全網（セイフティ・ネット）となる。

中でも深刻なのが、４月28日にフィッチ・レイティングスによって投資適格ぎりぎりまで格下げされたイタリア国だ。金利に上昇圧力がかかっており、欧州債務危機（注。２０１１年から起きた）を繰り返さないようにＥＣＢが監視の目を強めている。

中銀が政府から国債を直接購入する「財政ファイナンス」は金利や物価の急騰を招く禁じ手とされてきた。ただ、ＦＲＢは第２次大戦前後に、国債金利を固定する財政支援策を実行したことがある。（１９２９年の）大恐慌以来の１００年に１度の危機時は、市場も「あらゆる手段」（パウエル氏）を求める。

　こうした結果、中銀マネーの膨張は止まらない。２０２０年末の日米欧３中銀の資産残高は約２４００兆円と、わずか1年間で１・５倍に増える。ＧＤＰの約６割に及ぶので実体経済に比べ極めて大規模になる見通しだ。

　ＦＲＢの保有資産量は（これまで）４兆ドルだった。ところが、量的緩和（イージング・マネー）の再開で、現在は６兆６千億ドル弱まで増えた。７５００億ドル規模の社債、1兆ドルのコマーシャルペーパー（ＣＰ《シーピー》）などの購入もあり、このままのペースだと、２０２０年末には10兆ドルを突破しそうだ（注。ＦＲＢの保有資産。すなわち紙キレでしかない米国債や大銀行社債《ボンド》、大企業のＣＰという借金証書の山）。ＥＣＢ（ヨーロッパ中央銀行）も、２０１９年末に約４兆７千億ユーロだった資産残高に、２０２０年の追加購入分を単純合算すると２０２０年末には約５兆８千億ユーロ（７６０兆円）に膨らむ見通しだ。（この３つの先進国の）中銀の資産購入によって、民間銀行などに同額規模の（ジャブジャブ）マネーが流れ込むことになる。

　長期金利の動向次第だが、日銀は現在の６１２兆円の資産量が、20年末には６５０兆円に膨らむ。増加幅は小さい（注。何が小さい、だ）が、ＧＤＰ比ではすでに１０

0%を超す。一方、FRBは資産量が10兆ドルに達しても（GDP比で）5割程度だ（注。アメリカのGDPは23兆ドルだから）。

新型コロナの感染拡大によって世界経済はかつてない打撃を受けている。雇用対策などの財政政策を通じて経済のV字回復につなげないと、中銀の負担はさらに増す。

（日本経済新聞　2020年4月30日　太字、注、傍点は引用者）

この記事で世界の一番大きな金融の動きがはっきりと分かった。

先ほどの「日経・前田記者の記事」のところに載せたP147の「日銀の（日本の）資産循環表」が、日本国内の一番大きな金融の動き（合計7600兆円。ただし、表《おもて》に出ているものだけ。他に隠してある分が4000兆円ぐらいある）である。それに対して、こっちの「日経4月30日の記事」は、世界の「中央銀行3つの資金の動き」である。

米、欧、日で〝資産総額〟は2400兆円！

ただし、こちらの「中銀3つで2400兆円（22兆ドル）の資産（買入《かいい》れ）量」のほうも、他に隠してある隠し負債（累積《るいせき》の借金）が、おそらく、これの5倍ぐらいある。なぜなら、アメリカの連邦政府《フェデラル・ガヴァメント》（ワシントンの中央政府）が表に出してある「連邦政府の負債残高」だけで25兆ドル（2600兆円）ある。今年も米議会で、「この件ではトランプ執行部《アドミニストレイション》と争わない」と、米民主党側がこの連邦負債25兆ドル問題では、さっさと矛《ほこ》を収めた（妥協した）。

アメリカの連邦政府（中央政府）だけで、本当は、この3倍の80兆ドル（8000兆円）の累積負債がある。ここに、50州の州政府と40個の大都市の隠し負債が隠してある（中央政府が保証を出している）。他に国民健康保険（オバマ・ケア）の負債が含まれる。この他に、民間大銀行の分の隠し（〝飛ばし〟だ）借金が合計で60兆ドル（6000兆円）ぐらいある。

アメリカ合衆国で、こんなものだ。ということは、欧州《ヨーロッパ》も同じく隠れ累積負債を合計80兆ドルぐらい隠し持っているということだ。

この記事の中の「ECB（ヨーロッパ中央銀行）は、……（買い入れた）資産総額が……2020年末で約5兆8000億ユーロ（760兆円）になる」がヒント（証拠）になる。この記事全体が「3つの中銀合計で2400兆円（23兆ドル。2020年末で）の資産総額になる」なのだ。

これが今年のコロナ危機《クライシス》で、たった1年間で、1・5倍に増えたのだそうだ。この内訳は、私が3つに分けると、**FRB（米）が1050兆円（10兆ドル）、ECB（欧）が700兆円（6兆ユーロ）であり、日銀が650兆円である。**合わせて2400兆円。これでピタリと合う。この記事にもあるとおり、冗談ではなく、先進国の〝ダンゴ3兄弟〟の3中銀は、無制限の通貨（お金）の供給を始めた。

これと対応して、3つの政府（それぞれの財務省）が、これまたものすごい量の国債を発行して、それらをすでに「実質、中央銀行による直接買い取り」にしている。QE《キユーイー》の緩和《ジヤブジヤブ》マネーの放出である。ヨーロッパは、EU全体をまとめたユーロ共同債（コロナ債）の発行が決まった。EUができて（マーストリヒト条約1993年）、これまでもずっと金融政策（マネタリー・ポリシー）だけはECBがまとめて行なっていた。ところが財政政策は、ユーロ加盟国28カ国（イギリスがもうすぐ離脱。逃亡）の財務省が、それぞれ独自に行なってきた。だから、国債発行は、それぞれの政府が別個に行なってきた。これが重大問題だ、と言われてきた。イザというとき（すなわち世界恐慌突入のとき）、対策が間に合わないと心配されてきた。

それをドイツとフランスが音頭をとって、「ユーロ共同債」という名前で、ヨーロッパ全体の統一の国家借金証書、すなわち「EU国債」を発行することが決まったのだ。その実質は、P263以下で説明するが、ドイツがこれまでの国家政策の方針を大転《だい》換して、「緩和《ジャブジャブ》マネーを認める」と決断したのである。


ドイツ政府（メルケル政権）は、これまでずっと財政規律のある厳しい財政政策を取っていた。なるべく財政赤字を増やさない方針だ（消極財政）。だから、ドイツの財政は極めて健全で頑丈で安定して、しっかりしていた。それを、大きく変更して、ジャブジャブ・マネーを認める政策に転じた。だから、P263でも書くとおり、ドイツ人の2人の女、フォン・デア・ライエン（EU首相）と、メルケルドイツ首相が「こうなったら、私たちドイツが、南ヨーロッパの（だらしない）財政基盤の弱い借金国たちを救済し、支える」と決めた。フォン・デア・ライエンは、前はドイツの国防相をしていた小柄な女だ。

簡単に言えば、ドイツがスペインとイタリアを助ける、ということだ。スペインに16兆円、イタリアに21兆円のコロナ対策の救援資金を供給した。おそらくこれは、返さなくてもいい救援資金だ。それ以外は、「ユーロ共同債」の形で、それをECBに引き受けさせて、そこから出てくる資金（ユーロ現金）は、借款《しゃっかん》（融資金）の形になる。だから、ここでもECBは、ゼロ金利どころか、マイナス利回りのユーロ共同債を発行することで、自分の利払いの負担をゼロにして、どこまででも、ユーロ統一政府であるヨーロッパ委員会《コミッション》（EU政府）に、どれだけでも資金を放出する。メルケル首相は、同時にヨーロッパ理事会の議長（ヨーロッパの大統領、ストラスブールにある）である。

ドイツの10年もの国債の利回りは今、マイナス0・5％である。スイス国債は、マイナス1・2％である。これが何を意味しているのか。普通の頭では理解できない。国債を買ってくれる銀行や、法人にリベイト（報償金《ほうしょうきん》）を払っているということだ。

金融秩序が破壊される

話を元に戻すが、先進国の3つの中銀がこのように決めて、ジャブジャブ・マネーを無限に出す、と決めた。もはや、「財政規律が危なくなる」という昔からある考えは通用しなくなった。つまり、国家が際限なくどこまでも中央銀行から借金して、お札をどれだけでも借り出して、行政目的のために、資金が足りないところにバラまいて充当する、という考えになってしまった。

この考えは、「政府は、マネー・メイキングをしてはいけない。勝手にお金を作ってはいけない」という、中世（8世紀）以来のヨーロッパの金融秩序と、お金の原理《プリンシプル》を破壊するものである。マネー・メイキングは、エクスチェカーと呼ばれる、国家の現金出納《すいとう》係《がかり》だけが行なえる。例えば、毎年2％ずつ余計にお札を刷っていい、という考え方に基づく。この exchequer《エクスチエカー》が、のちに中央銀行の総裁（セントラル・バンカー）になった。これに対し、「王様の蔵《くら》を管理する」という考えから生まれた、ファイナンサー（フィナンシア financier　これが大蔵大臣だ）は、あくまで王様が、宮廷貴族と軍隊を養《やしな》うために必要な資金を国民から税金の形で吸い上げて（徴収して）賄《まかな》うものである。

だから国家（王国）が、金《かね》のなる木や、打ち出の小槌《こづち》のような、「どれだけでもお金を、天から降ってくるように作れる」という考えは、根本のところで間違っているのである。王様（国家）が、どうしても戦争をして隣の国に攻め込みたい。そのために資金が必要だ、というのであれば、民間の大金持ちや金貸し業者（ゴールドスミス。これが宮廷《コート》ユダヤ人《ジュー》になっていった）から、借りて、調達しなければいけない。その代わり、この宮廷ユダヤ人たちは、王様から立派な羊皮紙《ようひし》に書かれた借金証書（これがのちに国債《ナショナル・ボンド》になった）を、王様の名前で署名してもらって受け取った。この民間の金融業者である、例えば、メディチ家やフッガー家、ベネチアの金融業者たちに渡さなければいけない。これがのちにロスチャイルド家に代わった。

なぜなら、**クレジット・クリエイション（信用創造《しんようそうぞう》）の機能は、民間の経済実態の中にしかあってはならない**からだ。民間の経済活動の中から生まれた資金だけが、本物のお金である。信用創造 credit creation できるのは民間銀行だけである。手元に１００万ドルしか無《な》くても、10倍、20倍の１０００万ドル、２０００万ドルを、資金が欲しい人に融通《ゆうずう》（貸付）することでヨーロッパの繁栄は生まれた。

だが、これを王様（国家）がやってはいけない。王様には生産活動がないからだ。国が勝手にいくらでもおカネを作って、自分が抱えている借金に穴埋め（充当）するというのは、まともな頭で考えれば、異常な行動である。自分が抱えている借金を、自分が作ったお金で返済する、ということができると思いますか。そんなことは、正常な頭で考えれば、できない。子どものままごとのお店屋《みせや》さんごっこで、子ども銀行が、おもちゃのお札を作って、他の子どもに配っている話と同じになってしまう。

それに対して、「いや、こうなったらもう、国家は何でもやってもいいのだ」という考え方が、公然と出てきてしまった。もう人類は、あとには退《ひ》けなくなった。「こんなコロナ禍の大変な世界的な疫病の蔓延（パンデミック）があるのだから、非常事態で緊急事態だから、何をやってもいいのだ」という理屈が、堂々と世界中で横行している。

この裏側には、「もう今より以上に、国民各層から税金を取り立てることはできない。サラリーマン層から今以上、給料天引き（源泉徴収）で所得税を取ると、本当に死んでしまう。かつ国家の財政は、火の車で、ものすごい金額の借金（累積した財政赤字。前述した王様の蔵の金欠病）なのだから、この際、フィナンシア（大蔵大臣、財務相、セントラルバンカー）は、エクスチェカー（現金出納係。中央銀行総裁）と密談、談合して、やってはいけないはずのお金を発行させて自分が受け取る、ということを、もうしてもいいのだ」という理屈になってしまった。

だから、中央銀行なんか要《い》らない、廃止してしまえ、という暴論まで、もうすぐ出てくる。そして、中央銀行を財務省（フィナンシア）の中に合併・吸収して、政府はいくらでもお金を作れる、という金融・経済体制に変更すればいいのだ、という考えにまで、今や到達しようとしている。これを「政府《ガヴアメント》マネー」とか、「公共《パブリック》マネー」と呼んで、この奇《き》妙《みよう》奇《き》天烈《てれつ》な理屈が現に出現している。

この考えを貫《つらぬ》くと、必ずやがて、民間経済（実体経済）から大きな復讐を受ける。国家（政府）が、「社会福祉と社会保障制度（医療や貧困失業対策）を行ない、公務員たちを食べさせ、社会インフラ（道路や橋）を維持するために、どうしてもおカネが必要なのだ。なぜなら国の税金収入は、今以上に増えない（取れない）からだ」という居直りの理屈になる。これが、私が前のほうで書いた、米・欧・日の〝先進国ダンゴ3兄弟〟に共通した考えであり、すでに共同謀議《ぼうぎ》（コンスピラシー）として実行されている。彼らは馬鹿ではないから、このことを知っている。自分たちが法律違反をやっている、と知っている。知っていて、やっているのである。彼らは人類の大《おお》ワルである。

「バーゼル・クラブ」の秘密

これには、BIS《ビーアイエス》（バンク・オブ・インターナショナル・セツルメント。バーゼル・クラブ）という、世界の金融秩序を統制している気色の悪い国際機関のようなものがグルで策を練《ね》っている。こっちのほうが、3中銀よりも格《かく》が上で首謀者である。このBISは、「中央銀行の中央銀行」と呼ばれている、おかしな組織である。日本の黒田東彦日銀総裁も、このバーゼル・クラブ（スイスの都市バーゼルにある）の主要なメンバーだ。バーゼル・クラブは、世界のお金を一番上から管理している、ヨーロッパの奥の深くに今も実際にいる大貴族たちと、アメリカの金融財閥たちの連合体である。

だから先進国が、このように「政府は、いくらでもお金を作って、使える」という考え方になってしまった。つまり歯止めが利《き》かなくなった。「だって、仕方がないじゃないか。政府はお金が必要なのだから」という理屈がほぼ完成してしまった。だから、まともな頭をした経済学者たちは、今や黙りこくって自分の研究室の中に閉じこもった。自分が書く専門の学術論文以外では、もう何も、政府への提言や、一般社会向けの経済評論はしなくなった。本当のことを書いたら自分が学界でヒドい目に遭《あ》う。
それで、FT（英フィナンシャル・タイムズ紙）のチーフ・エコノミストのマーティン・ウルフが、今や黙りこくってしまった。彼は、以前は世界銀行（ワールド・バンク）のチーフ・エコノミストだった。世界中から一番信用が置かれている金融評論家である。同じFTの女記者で、大胆な現場レポートを書くことで有名なジリアン・テッットでも控えめな感じになって、「BISでも、今の政府による株の吊り上げは、よくないと言っている」とか、「中央銀行の人々は、自分たちのせいにされるのがイヤだから、今の金融緩和《イージング・マネー》のやり方について発言したがらない」というぐらいの生《ナマ》クラの批判しかしなくなった。

ところが、先進国以外の新興国や発展途上国（簡単に言えば貧乏国）は、お札をどんどん発行したり、国債を増発できない。なぜなら、貧乏国の政府は、自分の国民にさえ信用がない。政府がお札を増発すると、誰もそんなお札を使いたがらない。米ドルとの関係で、さらにその国のお札の価値は下落する。それで、物価が3倍とかにすぐなる。国家の信用がないからだ。物価は3倍どころか、10倍のインフレーション、すなわちハイパーインフレーションを引き起こす。だから、貧乏国の政府と中央銀行は、お札と国債を発行できない。分かりやすい理屈である。

Ｐ68で言及したＭＭＴ理論（モダン・マネタリー・セオリー）は、「貧困層のすべての人に毎月10万円（あるいは１０００ドル。あるいは９００ユーロ）を渡しなさい。それは政府の義務である」という主張と合体する。このベイシック・インカム（最低限度の生活費）という考えは、ヨーロッパの左翼リベラル派の経済学者から出てきた理屈である。人間は生きていかなければいけないから、職を失ったり、病気の人に福祉のお金として政府が支払うのは当然だ、という理屈だ。

第１章で書いたように、日本では急に竹中平蔵がテレビ（９月23日）で「すべての国民に、ひとり７万円を支給する。最低限生活保障だ」と言い出した。老人夫婦で14万円である。今の生活保護費や国民年金額よりも低い。何という男だろう。これまでの社会保障制度さえも叩《たた》き壊そうとしている。

ＭＭＴ理論は、ベイシック・インカムとは直接関係ない。ＭＭＴ理論にも限定があって、政府はいくらでも資金を出していい。ただし「激しいインフレが起きないのであれば」という限定である。ＭＭＴも後《うし》ろめたくて、インフレだけは恐いのだ。

米トランプ大統領は、元々、企業経営者だから、「借金ができるのは、それを返す見込みがある金額が限度である。それ以上の借金をしてはいけない」「人は収入の範囲で切り詰めて暮らすべきだ」という考えの持ち主である。企業は従業員（サラリーマン）に、払えるギリギリの給料しか払わない。従業員は年収の5倍までしか住宅ローンは借りられない。この厳しい世の中のルールがある。

それでも、トランプ大統領といえども、自分の会社ではなく、国家の経営者になったから、2000万人もいる貧乏な黒人たちや、失業している3000万人に、どうしても福祉のお金を渡さなければいけない。そうしないと食糧略奪暴動が全米の都市で起きる。ヨーロッパの場合も、マーストリヒト条約（これがEU憲法）でEUができたときに決まっていたのだが、「ECB（ヨーロッパ中央銀行）は、勝手にユーロ通貨を振り出してはいけない」という厳しい決まりがある。

それなのに、もうそれをぶち壊しにして、その「ユーロ憲法」を改正するわけでもなく、なし崩しにユーロ紙幣を刷り散らしている。それを秘密裏にトラックに積んで、金融危機と財政破綻を起こしそうな弱小国に運んで配っている。これが今の世界のニューノーマル（新常態）である。だからこそ、これがいつ壊れるか、という問題になる。私は現状を、じっくりと見つめながら、「それは4年後の2024年である。そのとき95年ぶり（1929年から）の世界恐慌が、世界を襲う」と予言しているのである。

4章

次の株価暴落を予言する

これから株価はどうなるのか

1章（P33）のNYダウのグラフをもう一度、見てほしい。アメリカの株価はコロナ騒ぎ勃発《ぼっぱつ》で、3月に1日で3000ドルの暴落を起こした。3月23日に、1万8213ドルまで落ちた。2月12日の史上最高値（2万9568ドル）から1万ドル以上、下げたということだ。世の中、そうは問屋《とんや》が卸《おろ》さない、というやつである。

大暴落のあと、アメリカ政府は必死でものすごい量のお金《かね》を突っ込んだ。ジャブジャブ・マネーで、FRB（中央銀行）が無制限に資金を投入すると言った。その資金がニューヨーク連銀からニューヨークの大手銀行（証券会社でもある）に回って、そこからさらに、クオンツと呼ばれる資金貸し部門から博奕打ちたちの投資会社に回っていった。政府系の資金を運用しているファンドと、ヘッジファンドたちにも資金が回り、彼らが一気に株を買い上げた。この無理やりの吊り上げで、8月にはなんとか2万9000ドル台まで戻した。そのあとまた下げた。今（10月16日現在）は2万8606ドルである。

NYの株価は、大統領選挙の前に、この値段がピークだろう。P56で説明したように、

コロナ暴落のあと、
“NY株の吊り上げ作戦”を再開。
「株さえ吊り上げておけば、文句は出ない」
株の利益で年金の払いができる

ラリー・カドローCEA委員長
昔からの共和党 サプライ・サイダー派

「これで大丈夫か」
「大統領、何とか
このまま行きましょう」

カール・アイカーン
株の吊り上げ係

このあとズルズルと大《たい》した値動きなしで、クリスマスを越して年が明ける。そして来年の2月か3月のある日、ドカンと下げるだろう。下げなければ済まないのだ。このまま中央銀行が、無制限の資金供給（ジャブジャブ・マネー）を続けていたら、政府そのものが信用不安を起こして、財政破綻（資金繰《ぐ》りがつかなくなる）して壊れてしまう。

NYダウが2月12日に付けた、3万ドル直前の、2万9568ドルの史上最高値を超えることは来年もないだろう。

いくら資金を無制限に政府が供給して、過剰《かじょう》流動性《りゅうどうせい》が世の中に満ち溢《あふ》れても、普通の人々のところには、そのお金は回らない。大部分は銀行とか金融業界に滞留《たいりゅう》するだけだ。その一部で株の値段を吊り上げている。実体のない見せ金《がね》、ニセ金《がね》、カラ金《がね》を政府が作ってバラ撒《ま》いても、実体《じったい》経済は動かない。お金は、人間の労働（知能労働を含む）の、血と汗の結晶なのである。それを政府（と中央銀行）が、手品でいくらでも作れるというのは、傲岸不遜《ごうがんふそん》な考えだ。やがて必ず天罰が落ちる。

何度でも書くが、アメリカ国民は、サラリーマンたちや黒人たちまでが株を買う。たった1000ドル（10万円）、2000ドル（20万円）でも買う。この人たちは、貯金はゼ

リーマン・ショックのときの日経平均7000円割れとNYダウ

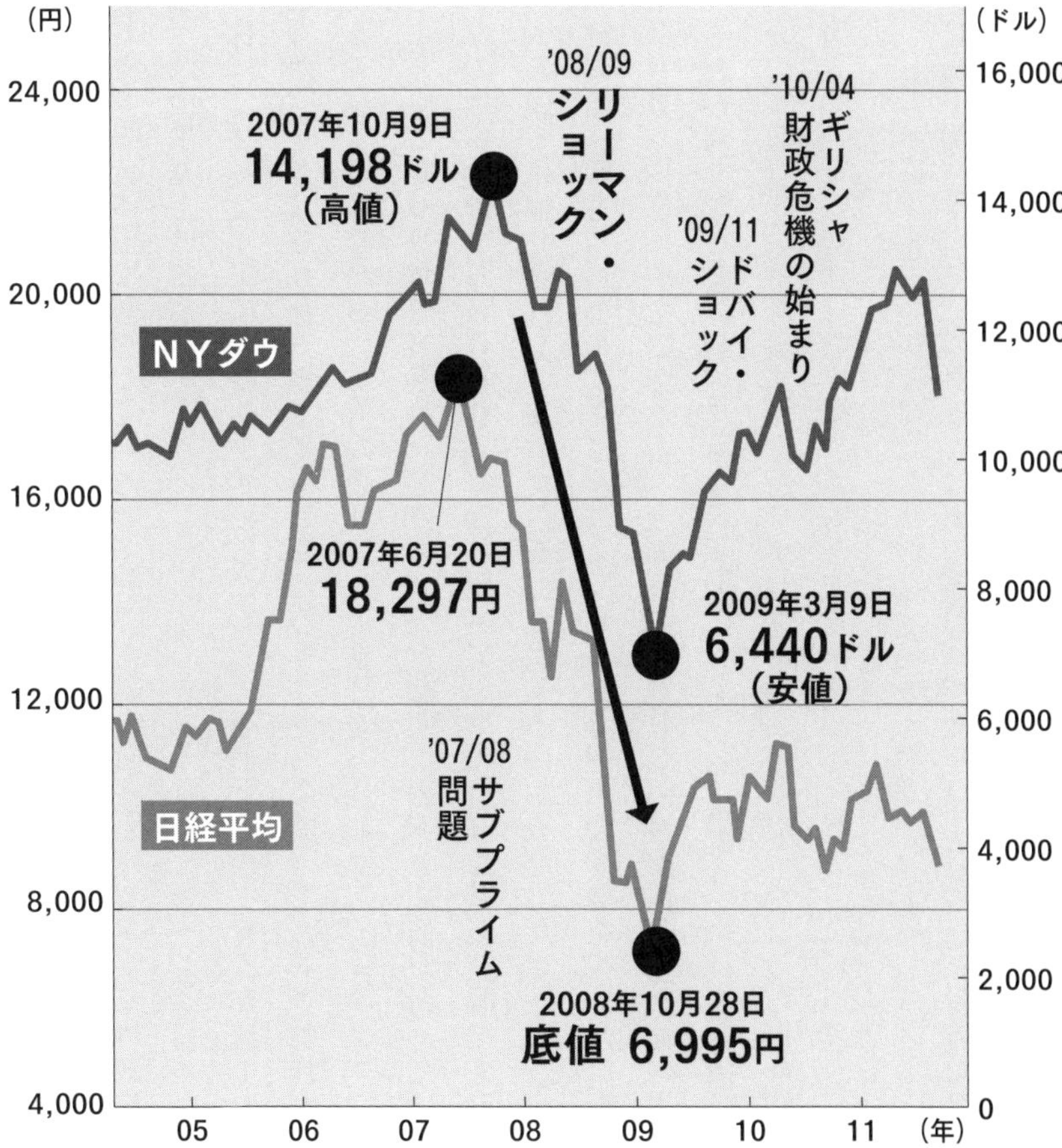

出典　Yahoo!ファイナンス等の資料をもとに作成

ロである。クレジットカードで暮らしている。それでも株を買うから、アメリカ政府はどうしても株価だけは吊り上げる。

アメリカの株は、2024年に大暴落を始めるだろう。そのときは、もう安値1万8000ドルどころか、1万2000ドルまで落ちるだろう。さらには、1万ドル割れがあると私は予測する。なぜなら今から12年前の2008年9月の〝リーマン・ショック〟のあと、6440ドル（2009年3月9日。P189のグラフ参照）のドン底値があった。6500ドルというのは、今の2万8000ドル台と比べてウソのような暴落値段である。ちょっと普通の人の頭では信じられない安値だろう。だが本当にあったのだ。

このとき、日本の株価もニューヨークに連れて、6995円の最安値を付けた。6995円である。7000円を割ったのである。今の2万3000円台が信じられないような暴落値段だ。これが再《ふたた》び起きない、と誰が言えるだろうか。今はもう、「日本経済に再び日が昇る」みたいな寝言《ねごと》をいう評論家や金融アナリストはいなくなった。彼ら自身が、信用大《だい》暴落して消えてしまった。自宅に籠《こも》ってあとは死を待つだけだ。

日本の株（日経平均）は、P35のグラフにあるとおり、今年は1月17日に付けた2万4

10年の輪切りで考える
私たちの50年間の株価の動き

日経平均株価(1970年〜)

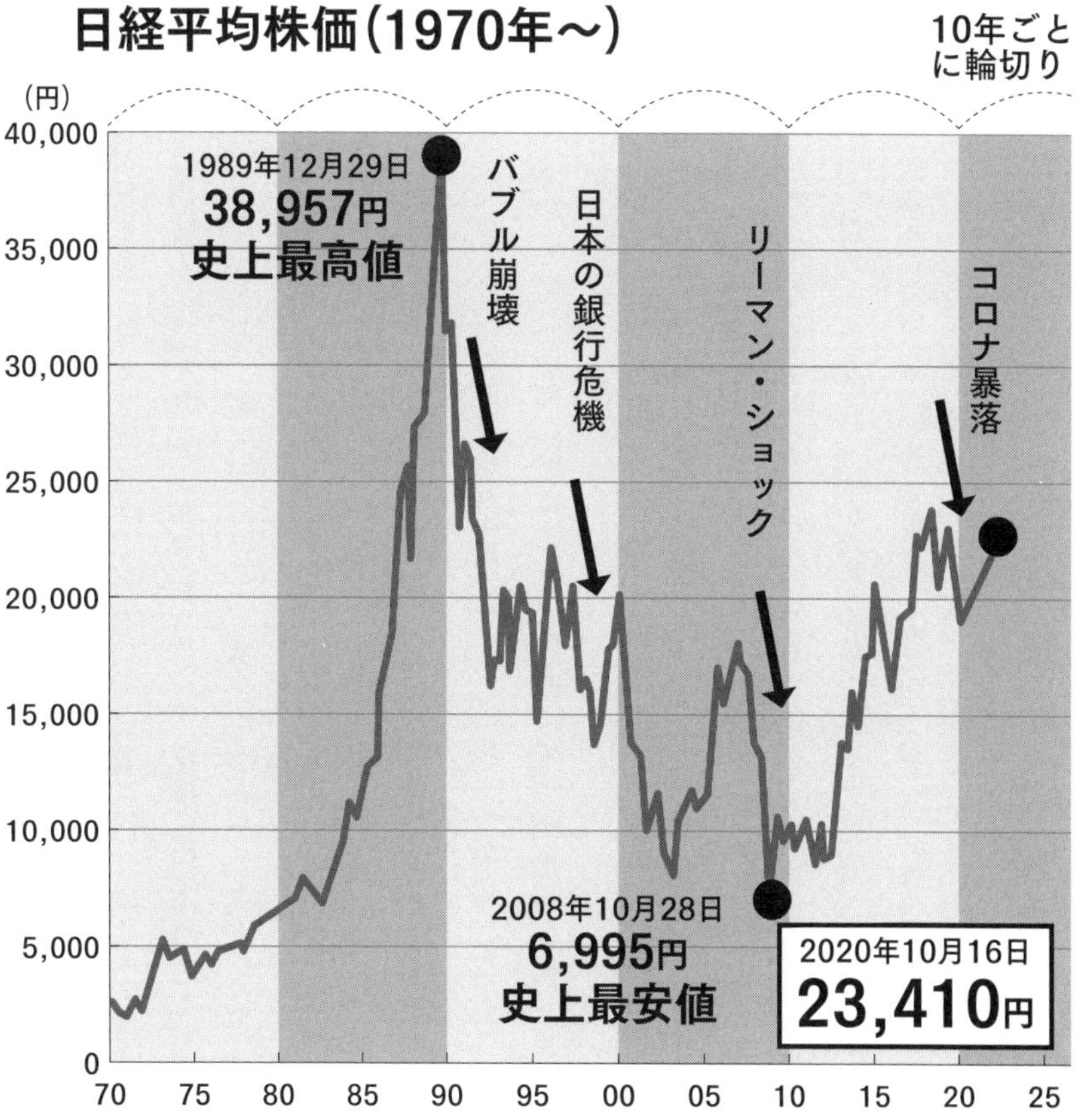

出所　Wikimedia Commons総務省統計局

どう考えても日本に、あと4年は成長経済はない。

115円の近年の最高値から、コロナウイルス暴落で、3月19日には1万6358円まで落ちた。実に8000円幅の暴落である。スゴいものだ。**だから日本株も1万円割れが起きるだろう。**大暴落がまた起きる、と私が言うと、顔を背《そむ》けるか。現実を見たくないか。今は、何とか2万3000円台にまで戻した。が、もうこれ以上は無理だ。年内はこの2万3000円台あたりをウロウロして、年を越す。

日本政府も、アメリカの真似《まね》をして、年金ファンド（共済組合）や政府系のファンドに、資金をガンガン突っ込んで株価を吊り上げた。P60以下で前述したように、日銀が「お札（お金）をいくらでも無制限に供給する」と居直って、歯止《はど》めを失って国債を買って資金を供給する、と決めたからだ。

しかし、この「無制限の資金供給」には、自然の圧力（重力）がかかる。無理をして限界を超えようとすると、上からぎゅうぎゅう、と重力が加わる。

2020年の年内、そして年を越して、2万3000円台でズルズル動く。来年になって、またしても「はい、暴落」となる。だからその前に、早めに売ったほうがいいと、私は助言する。来年の暴落まで持っているのは愚《おろ》か者のすることだ。株に関しては逆張り《ぎゃくば》（コントラリアン　contrarian　へそ曲がり）で、今、ボロクズ値段になっている銘柄に、どんどん買い換えておいたほうがいい。巻末の推奨銘柄一覧を参考にしてください。

10年の「輪切り」で日本の株価を考える

私は、ここから、この40年間に何が起きていたのかを説明する。この40年間に金融経済でどのように大きな事件が起きたかを、徹底的に分かりやすく、皆さんに教えたい。40年間というと、とても長い年月に思える。Ｐ191に、この50年間の日本の株価の動きを載せた。これを見ながら考えよう。

まず40年間を10年ごとに輪切りにする。そうすると、いつもこの10年ごとの、終わりのほうで、大きな株の暴落とかがあって、激しい金融変動が起きていることが分かる。まず一つ目の10年間である①１９８８、９年に一つ。それから②１９９８、９年に一つ。それから③２００７、８年に一つ。そして④２０２０年に一つ。この④が、コロナ騒ぎによる世界的な経済停滞の事件である。

この④を、私たちがこの３月から味わった。コロナウイルス感染症・パンデミックの感染拡大とかいう、あまり根拠のない馬鹿みたいな大騒ぎだった。高齢老人や病気持ち（既《き》往症《おうしょう》）の人以外はほとんど死んでいない。意図的に作られたバカ騒ぎだったとしか言いようがない。各国政府は、やってはいけないはずなのに、自分の国の景気と経済を殺してしまった。4、5、6月には、商店街や駅前の商業店舗（デパートを含む）までも全部閉鎖させた。しかも自主的に、自発的に。強制ではありません、と。これは私たちの目の前で起きた現実であるから、誰でも知っている。

その10年前の③２００７、８、９年は、〝リーマン・ショック〟を中心とする大きな金融恐慌だった。日本政府は、このとき合計80兆円ぐらいを出して、銀行（金融機関）の救済をやった。アメリカは、表面上は2兆ドル（２００兆円）を政府が出して、一斉《いっせい》にニューヨークの大銀行や保険会社、証券会社たちを救済した。本当は、その10倍の20兆ドル（２０００兆円）を出して救済した。

なぜならシティバンクだけで、42兆円（４０００億ドル）出した。今もシティバンクは立ち直っていない。政府からの資金を返済していない。最悪のときにはシティバンクは株価が1ドルを割って、92セントまで下がった。実質倒産していた。同じく、世界最大の総合保険会社であるＡＩＧ（エイ・アイ・ジー）は、１５７兆円の救援資金をアメリカ政府からもらった。生保と損保（自動車保険など）は、国民生活に直接の影響があるから絶対に潰《つぶ》せないようだ。だから、これらの金額を足し上げると２０００兆円（20兆ドル）になる。公表した2兆ドル（２００兆円）はウソの数字だ。この〝２００８年リーマン・ショック〟は、ニューヨーク発の金融恐慌だった。アメリカ政府は、できたてほやほやのオバマ政権（２００９年の初めから）が待ち構えていたかのように緊急に対策した。

このニューヨーク発の金融恐慌は実は、世界恐慌につながるはずだったのだ。それを、やってはいけないはずの「政府による民間銀行群の一挙的なすべての救済」をした。これが前述した、アメリカ財務省とＦＲＢ（米中央銀行）の２つによる公的資金２０００兆円（20兆ドル）の供給である。この政府自らがやったニセ金《がね》の、見せ金《がね》で危機を乗り切った。このあと、12年が経《た》って、今回の④のコロナ騒ぎ暴落になった。

金融大変動の〝法則〟が見えてきた

さらに10年遡《さかのぼ》ると、②１９９８年の、日本の銀行危機があった。日本の政府系大銀行たちがバタバタ倒れた。まず長《ちょう》銀《ぎん》と日債銀《にっさいぎん》（現あおぞら銀行）と興銀《こうぎん》（日本興業銀行）

が破綻して消滅した。3つ目の興銀は、第一勧銀《かんぎん》と富士《ふじ》銀行の間にサンドイッチにして、3行合併の形で隠して消滅させた。この他にも山一《やまいち》證券や、拓銀《たくぎん》(北海道拓殖《たくしょく》銀行)なども破綻し、潰れた。ただし、この②1998、9年の日本の銀行危機は、アメリカからは冷ややかに見られた。日本はおかしなことをやっている、と。日本政府は、このとき60兆円の救援資金を出して、銀行を一斉に助けた。翌年、小渕恵三《おぶちけいぞう》首相は、「俺は100兆円の借金王だー」と言って、脳梗塞《のうこうそく》で倒れて死んだ(2000年5月14日)。

このときアメリカは、金融危機はなくて、それどころかアラン・グリーンスパンFRB議長の、絶妙な金融舵取《かじと》りで、バブル景気を謳歌《おうか》していた。だから、日本政府が財政法上の根拠のないカネである60兆円を刷って(増発して)、まとめて銀行を救済したことに対して、「日本は社会主義国か。政府がカネ(公的資金)を出して民間銀行を助けるなど、もってのほかである」と嫌味《いやみ》を言った。

この日本への批判の急先鋒は、有名なポール・クルーグマンMIT教授だった。彼は、それからちょうど10年後に、③の2008年リーマン・ショックが起きて、ドッキリした。クルーグマンは、このとき、すなわちアメリカ政府が20兆ドル(2000兆円)を作って出してニューヨーク大銀行の一斉救済をやったとき、何と言ったか。クルーグマンは、「私は日本に謝罪しなければいけない。アメリカも同じことをやってしまったのだから」と恥をかきながら正直に言った（2009年4月13日）。

私は、リーマン・ショックの2年前の2006年に、「来年あたりからアメリカ経済は大きく崩れそうだ。株の大暴落が起きるだろう」と予測、予言した。それがまず、翌年（2007年）8月のサブプライムローン問題で金融機関の株の大下落となって現われた。さらに続いて翌年が、2008年9月15日のリーマン・ショックである。これも私は続けて予言して当てた。この本のシリーズの11巻目である『恐慌前夜』（2008年9月、祥伝社刊）である。

ここで大事なことは、③の2008年と、②の1998年と、①の1989年の区別をしっかりつけることである。ここに10年ずつの開きがある。つまり金融大変動は、いつも10年輪切りの、8か9年に起きている。この区別を脳の中でしっかりつけられる人が、頭のいい人である。「89」と「98」、「08」の区別はなかなか大変である。だが、この年号の区別がつかないようでは、どうにもならない。特に理科系で、数字に強いはずの人たちが、歴史の年号覚えということになると、とたんに低能状態をさらけ出す。

私はこのことをよく知っている。理科系は、社会科と国語ができない。とくに社会科の歴史の勉強となると、死んだようになる。反対に文科系は、数学と物理学の勉強で落ち零《こぼ》れる。そこで文科系である私は、「なぜみんな、高１の数学で落ちこぼれたのか」という本を今、書いている。真実暴《あば》き言論をずっとやってきた私が、この本でそんな甘えた、いい加減なことを書くはずがない、と分かってください。

だからまず① １９８９年と、② １９９８年の区別がつかない。たった、10年の違いなのに。自分の人生行路の、過去の20年前と、30年前の区別がつかないのだ。ここにしっかりと当時、一体何が起きていたか、当時騒がれた大事件などを思い出しながら、区別がついている人は、相当に頭のいい人だ。それは私のような特殊な脳をした人間以外にはできないことだ。ここで「威張るな、副島」と、もう言わないほうがいい。本当に私の熱心な読者たちは分かっている。なぜなら、私の本を読むことで、大きく世界の流れと、日本の動きが分かり、それらを何とか自分の脳の中に組み立ててきた人たちだから。

巨大バブルのあとの30年間、日本はデフレのままである

①の1989年の日本の、あの巨大なバブル経済（好景気）は今から30年前の話だ。この1989年の年末、12月に日本の株価は、3万8900円まで行ったのである（P191のグラフ）。4万円が目の前だった。ところが、このあと暴落が起きて、以来ずーっと、6900円まで下がった（2008年10月）。ここで20年が過ぎている。アメリカは前述した6600ドルという大暴落価格がある。これは、③の2008年リーマン・ショックのときである。

①の1989年の日本のバブル景気は〝狂乱地価〟という不動産価格の恐ろしいまでの急激な値上がりを伴《ともな》っていた。同時に起きた。例えば、東京のまあまあの住宅街で、それまで1億円だった一戸建ての土地50坪（166平米）の価格が、1週間で2億円になり、さらに3億円にまで上がった。銀座のような一等地は、坪1億円が最大、坪10億円にまでなった。

そして、1992年に、日本の株の暴落が決定的になった。福岡や札幌の地方の物件や、全国の別荘地の土地の値段までが暴落した。この1992年から日本は、今日までず

ーっと、景気後退、不況、デフレ経済のままである。いいことは何もない、と言ってい い。だから①の1989年バブルのあとは、30年間、ずーっと不景気（不況のまま）なのである。だから若い人たちはバブル経済の楽しさをまったく知らない。バブルで景気が良くて、お金がたくさんあって、楽しくてしょうがない時代を知らない。だが、その分だけバブルの破裂で結局ひどい目に遭《あ》った年長者たちに比べれば、若者たちは不況の中で貧乏しながら生きていく強さを身に付けている。だから、それはそれでいいことなのかもしれない。

私は30年前のバブル景気の当時を目撃して知っている。今も覚えている。青山《あおやま》通りや六本木には、ずらーっとドイツ製やイタリア製の高級外車が並んでいた。すべて外車だった。そこへ1台だけ、埼玉ナンバーの車を青山通りに停《と》めていた、というだけの理由で「ダサイタマが東京に来るな、来るな」と石を投げられた事件があった。本当のことだ。新聞記事になった。

これで①、②、③、④の説明はした。④がコロナ禍（か）で、この「禍」は、「わざわい」と読むべきなのだ。「コロナか」などと、みんなで変なコトバを使って、言い合っている日常が、私、副島隆彦には「馬鹿じゃないのか、こいつらは」ということになる。

実は、初めに40年間と書いたのだが、P191のグラフと見比べると分かるが、私は30年間しか説明していない。①の1989年バブルの、さらに10年前は、1978、9年の「第二次オイルショック」である。さらにこの5年前の、1973年に第一次オイルショックが起きている。田中角栄《たなかかくえい》首相（当時）が「日本列島改造論」でブルドーザーのように元気よく、日本全国に、新幹線や高速道路を作る計画をぶち上げた直後だ。

この1973年の第一次オイルショックは、私が大学に入学した年だ。だから、このときから数えて、この40年間を、私は同時代人（コンテンポラリー・マン）として、ずっと目撃してきた。私のような、生来の知識人の脳を持っている者は、他の人々と同様に自分の目の前の生活の厳しい現実を引き受けながらも、脳のどこかで、じっと時代を観察し、冷酷に脳に記憶保存し、描写してゆく。そういうサヴァン症候群と呼ばれる脳を持っているのである。

これらが、私たちが生きた40年間の金融と経済の中で起きた「大変動」と呼ばれたものである。それらを、印象的に10年ごとの輪切りで説明した。すると分かってもらえるだろうが、10年輪切りのお尻のほうの8か9の年に必ず、大変動が起きている。

ところが、私は、この本でもこれから4年後の2024年を、次の世界大恐慌の年だ、と決めつけて予言している。すると、「10年輪切りの終わりのあたりで金融恐慌が来る説」と合わないではないか、と言われるだろう。私にも分かりません。それでも2024年大恐慌があっても、人間はみな生きていく。そして、おそらく終わりの2028、9年あたりに、世界的な大きな戦争（ラージ・ウォー　large war　）が起きるのではないか。このように書いて話の辻褄《つじつま》を合わせる。

ただし、今度起きる戦争は、100万人、200万人の兵隊、軍人たちが外国の領土にまで攻めて行って戦う戦争ではない。それは、いわゆる「ボタン戦争」と子どもでも言う、長距離弾道《バリスティック》ミサイルの撃ち合いのようなものであろう。そのとき、たくさんの人が死ぬ。そして、また残った人たちは世界を続けてゆく。人類史（人間の歴史）はこのまま続いてゆく。

世界時価総額レイティング
(2020年9月末)

	(　　はテック企業)	株式時価総額	
1	アップル　Apple	2.0兆ドル	210兆円
2	サウジアラムコ　Saudi Arabian Oil	1.8兆ドル	190兆円
3	マイクロソフト　Microsoft	1.63兆ドル	171兆円
4	アマゾン・ドット・コム　Amazon.com	1.62兆ドル	170兆円
5	アルファベット(グーグル)　Alphabet	1.0兆ドル	105兆円
6	アリババ　Alibaba Group Holding “アリペイ”	8,100億ドル	85兆円
7	フェイスブック　Facebook	7,600億ドル	79兆円
8	テンセント　Tencent Holdings “ウィーチャットペイ(微信支付)”	6,300億ドル	66兆円
9	バークシャー・ハサウェイ Berkshire Hathaway	5,140億ドル	54兆円
10	テスラ　Tesla	4,000億ドル	42兆円
11	ウォルマート・ストアーズ Wal-Mart Stores	3,980億ドル	42兆円
18	サムスン電子　Samsung Electronics	3,300億ドル	35兆円
25	中国工商銀行　Industrial and Commercial Bank of China Limited	2,600億ドル	35兆円
	……		
48	トヨタ自動車	2,200億ドル	23兆円

HFT（超高速取引）も追いつけない暴落が来る

ここから、具体的な株の話をする。

トヨタやソニーなど、日本を代表する大企業の株（値嵩株《ねがさかぶ》。優良株。輸出大企業）は、7割、もしかしたら8割ぐらいを、外国人投資家が買って持っている。暴落が始まりそうになると、この外国人たちがまず最初にニューヨークで売り始める。恐ろしい動きが起きる。

日本の錚々《そうそう》たる輸出大企業の株は、年が明けた2、3月頃、暴落する。損をしたくなければ、優良株は、いったん売っておくべきだ。今年3月の大暴落のときと同じような目に遭いたくなければ。

2021年2月、3月の暴落は、コンピュータのロボット・トレーディングが追いつけないほど急激なものになるだろう。

コンピュータを使った株の売買は、超《ちょう》高速取引（HFT《エイチエフティー》 High Frequency Trading）と呼ばれる。NY市場では、半分以上がこのロボット・トレーディングである。日本も東証《とうしょう》（東京証券取引所。今は、形上《かたちじょう》は日本取引所＝JPXの子会社）の「アローヘッド」など3割ぐらいがコンピュータでの取引を行なっている。

最新のシステムは、AI《エイアイ》の自動学習機能を組み込んで、0・5ミリ秒（2000分の1秒）単位で取引をするという。1秒間に5000回の株の売り買い注文をする、ということだ。だが、AI《エイアイ》（人工知能）が自分の判断で株の売り買いをしている、というのはウソだ。AI（アーティフィシャル・インテリジェンス）は、まだあまり発達していない。ロボットとAIが人間の知能を超えてゆくのは、まだまだ先の話だ。AIが自分の頭脳で株取引で確実に利益を出すというのは、虚妄《きよもう》であって虚偽《ウソ》なのである。

今のHFTのロボット・トレーディングが行なっている株の売買は、単にアルゴリズム（計算式）だけで動いている。確率微分方程式で、確率（プロバビリティ）の中央値（メディアン）が山型《カーブ》のどちら側に動くかのトレンド（方向性）を見ているだけなのだ。このトレンドが急激に動いて、HFTが一斉に売りの方に動き出したら、もう止まらない。激しい〝投げ売り相場〟になる。

株式は、再び1000ドル、1000円の幅で乱高下《らんこうげ》をしながら下落するだろう。私たちが、この3月のコロナ大暴落のときに、目の前の現実として、日々、経験したとおりである。だから、必ずやってくる次の株の暴落を簡単に止めることはできない。そのときはまた、政府が出てきて「サーキット・ブレイカー発動」(取引停止措置)のあと、ジャブジャブ・マネー(緩和マネー)の供給があって、トランプ政権が暴落を食い止める。

「GAFA《ガーファ》+M(マイクロソフト)」の動き

2020年3月のコロナウイルス暴落があっても、GAFA《ガーファ》(グーグル、アップル、フェイスブック、アマゾン)にマイクロソフト(MS)を加えた「GAFA+《プラス》M」の巨大通信企業の株だけは、バカみたいに吊り上がっている。最近は、この5大企業を、単にテック Tech企業と呼ぶようになった。ついにアップルが8月12日に、時価総額で2兆ドル(210兆円)を突破した。10月16日現在では2・03兆ドルだ。

それを追いかけるようにアマゾンも、P203の表にあるとおり、8月末時点で株価3450ドルで、時価総額は1・6兆ドルになった。さらにグーグル(持ち株会社名はアルファベット。クラスAとクラスCの株の合計)の時価総額も1・0兆ドル(105兆円)である。

マイクロソフトは、業界の老舗《しにせ》の意地で「GAFAに負けない」という感じで追いかけている。このマイクロソフトは、通信のＧＡＦＡと違って、今や基盤産業である。ＯＳ（オペレイティング・システム）のウィンドウズ Windows をはじめとしたコンピュータの基本特許をたくさん持って、知的財産（知財《ちざい》）として押さえている。

ところが、コロナ騒ぎの元凶が、どうもマイクロソフトの社主のビル・ゲイツだ、ということがバレてしまった。

今から20年前に、奥さんのメリンダと作った「ビル＆メリンダ・ゲイツ財団」が、ジョンズ・ホプキンス大学に巨額の出資をしている。ジョンズ・ホプキンス大学は、国際機関でもないのに、自分たちで勝手に、世界のコロナ感染者数を今も毎日発表している。その発表数字を、世界中の新聞やテレビが何の検証もせずに垂《た》れ流している。この数字だけが一人歩きして、「キャーキャー、コワイコワイ」のコロナ・バカ騒ぎを産み出したのだ。だからビル・ゲイツは大《だい》悪人である。このことが大きく判明した。詳しくは、私の前著『もうすぐ世界恐慌』（２０２０年5月、徳間書店刊）の第5章に書いた。

私もマイクロソフトのウィンドウズが入っているＰＣを使っている。だが、中国とロシアが独自で、スマホのアプリケーションを動かすＯＳを開発する段階に入った。他社の技術に頼らないで作っている。それが米中対立（米中デカップリング。再分離）を産んでいる。米中のＩＴ《アイティー》戦争は貿易戦争と同時並行で続いた。米中対立は、世界のブロック経済block他につながる。自由貿易体制（フリートレイズム）の危機である。それぞれが地域覇権（リージョナル・ヘジェモニー）を握って、米、欧、中が他の経済圏（ブロック）との関係で劣勢に立たないようにする動きだ。アメリカの覇権がガタついて、ぐらついたことの一つの現われである。

ＧＡＦＡ＋Ｍ（テック大手）の5社の株式時価総額は、合計で7兆ドル（770兆円）にまでなっている。ニューヨークの3市場（ＮＹＳＥ、ナスダック、Ｓ＆Ｐ500指数取引）を合計した総額25兆ドルの、実に3分の1を占めている。このあと一体どこまで、これらのテック大手が、お金の力で世界を支配し続ける気だろうか。たかが通信屋のスマホ屋のくせに威張《いば》り腐《くさ》って。

私は、このテック大手の株価が大きく崩れる（おそらく半分にまで下落する）ときが、アメリカによる世界支配の終わりだと考えている。それがいつ起きるか、の問題である。

ソフトバンクグループの株投資の限界

日本のソフトバンクが、ニューヨークでＧＡＦＡの株を買って、株バクチをやっていることが分かった。このことを伝える記事を引用する。

「ソフトバンクＧ、巨額の上場株投資に見えぬ戦略」

たった3日で1兆円近い時価総額が吹き飛んだ。ソフトバンクグループ（ＳＢＧ）の株価は9月9日までに前週末から10％あまり下落し、終値は５６７７円をつけ、２カ月ぶりの安値に落ち込んだ。

きっかけは9月4日、海外メディアが、相次いでＳＢＧによるアメリカＩＴ企業株の巨額取引を報じたことだった。イギリスの大手紙フィナンシャル・タイムズ（ＦＴ）によれば、ＳＢＧは株価上昇を見込み、過去数カ月でＩＴ企業株の「コール・オプション」（あらかじめ決められた価格で購入する権利）を40億ドル買い入れた。その目算《もくさん》は当たり、すでに約40億ドルの含み益が出ているという。これについてＳＢＧの広報担当者は「個別の取引についてはコメントしない」としている。

コール・オプションの買い手は、売り手に対し「プレミアム」と呼ばれる権利料を支払う。株価が値上がりすればごく少ない投資額で多くの利益を生むことができる（引用者注。すなわち高いレバレッジがついた取引だ）。しかし、株か値下がりしたときに（注。それ以上の損を出さないために、この「買う権利」）権利を放棄すれば、支払った権利料はすべて損失となる。ハイリスク・ハイリターンの取引手法だ。

ＩＴ企業が多くを占めるアメリカのナスダック総合指数は、３月以降一貫して上昇を続けた。ところが、９月３日からの３日間で約10％下落する調整局面に入った。先述の報道の通りに９月初旬までに（ソフトバンクに）40億ドルの含み益があったとすれば、これが大きく縮小している可能性がある。（これをきっかけに東京市場で）ＳＢＧの株が売られたのは、（注。ソフトバンクによる投機《スペキュレイション》による）巨額の株取引に対し、アメリカ株市場の下落が影響するとみたからだろう。市場はＳＢＧの投資スタンスに対して「ＮＯ《ノー》」を突きつけた形だ。

ＳＢＧは、２０２０年３月、過去最大規模となる最大２兆円の自社株買いや負債削《さく》減《げん》のため、最大４・５兆円に上る保有資産の売却・資金化（資産売却プログラム）を発表した。その後、株主還元や財務改善（注。銀行借入金の一部返済）が好感されて

孫正義(ソフトバンク)は
30兆円の大借金=負債を、
"資産"だと考えている

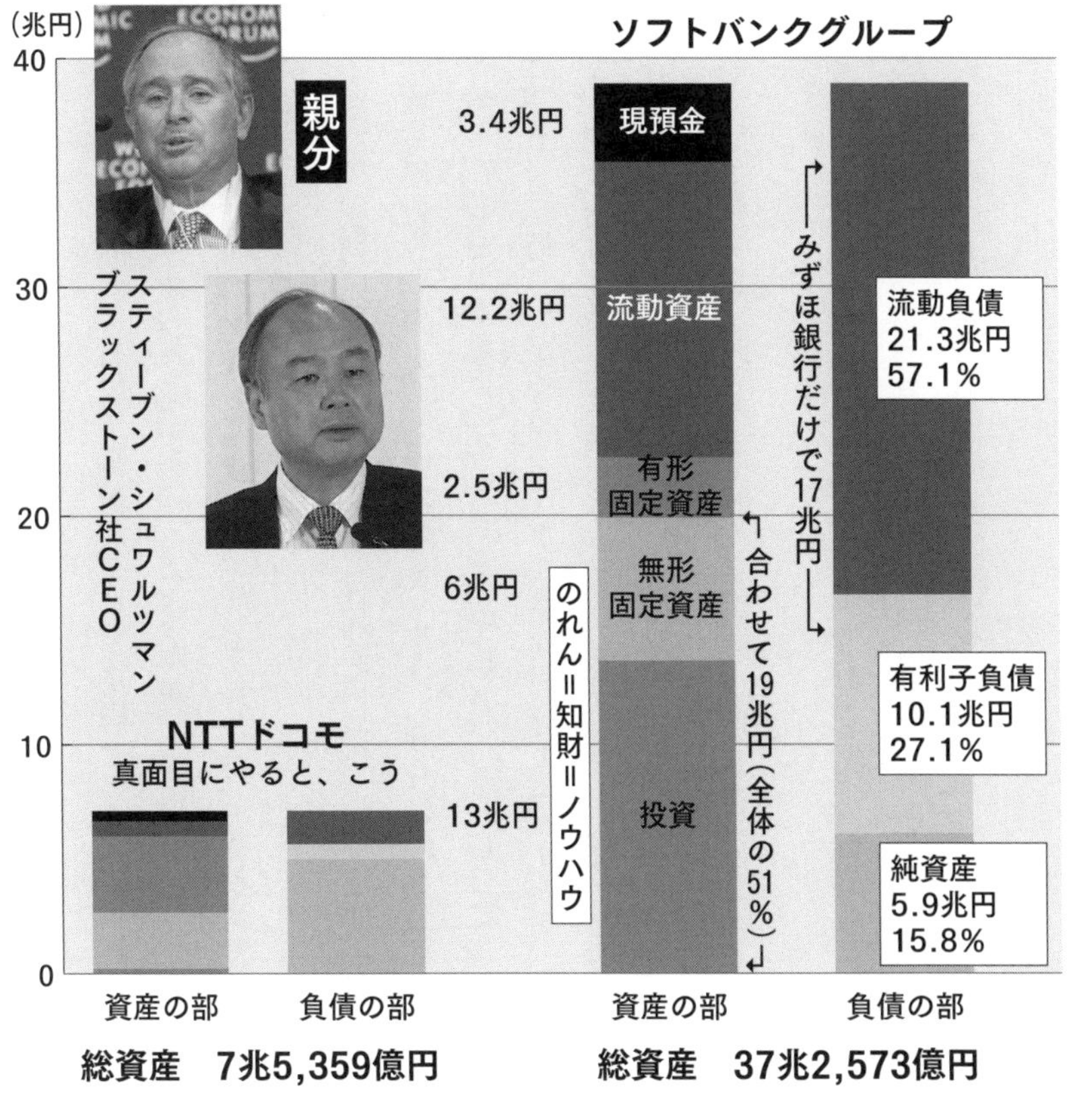

出所　両社の2020年3月期決算発表から

株価は上昇を続けた（注。8月4日に最高値の7077円をつけた）。資産売却プログラムは当初、1年をかけて実行する予定だった。だが、中国アリババ集団株の先《さき》渡《わたし》売買契約やアメリカのTモバイルUS株を売却したことで、8月までに4・3兆円分のメドを付けた。

このとき得た余剰資金の運用と資産の多様化を目的として、SBGは現在、アメリカの上場株への投資を強めている。すでに2020年4～6月にはSBG本体が1兆円超を上場株に投資し、約650億円の売却益を得ている。8月17日に規制当局へ提出された文書では、6月末時点でアマゾンやアルファベット（グーグルの親会社）、マイクロソフトなどアメリカ市場に上場している（大手）IT企業の25銘柄を保有（総保有額約36億ドル）していることが明らかになった。

（東洋経済オンライン　2020年9月13日　振り仮名と注は引用者）

孫正義《そんまさよし》のソフトバンクは、実におかしなことをやっている。P211のSBG（ソフトバンクグループ）の決算帳簿（2020年3月）である貸借対照表《たいしやくたいしょうひょう》（バランスシート）を見てみるとよい。実に、37兆円もの資産総額となっている。

ソフトバンクが日本国内でやっている主な事業は、通信屋のスマホ事業である。他には、もっぱらハイテク企業の買い漁《あさ》りである。ユニコーンと呼ばれる小粒の有望なテック企業（その代表的な例が、ウーバー Uberだ）から、ARM《アーム》というイギリスのOSの基本特許を持つ会社の株まで。最近、このARMを4・2兆円（400億ドル）で売却した。経営苦境が続いているSVF（ソフトバンク・ヴィジョン・ファンド Softbank Vision Fund L.P.）という金融バクチの手法を立て直そうとしている。

Tモバイル USというアメリカの古い携帯電話会社（ドイツテレコムの子会社）の株も売り払いそうだ。テック企業の株を買い集めることで、利益を出そうとする孫正義の手法は、限界に来ている。

ITバブル期の2000年2月に時価総額が19兆円（1700億ドル。2月18日には終値で瞬間的に20兆円を超えた）もあって、トヨタに次いで日本の大企業の2位だった。それが今は、14・6兆円（1533億ドル。10月9日現在）にまで落ちている。日本国内の時価総額ランキングでは、10月現在でかろうじて2位だが、この6月には大阪のキーエンス（センサーや計測機器のメーカー。物作りの会社）に抜かれて3位に落ちた。

ソフトバンク株式会社（ＫＫ）という、自分の体の一部を取り出して、東京市場でインチキの二重上場《ダブル・リスティング》をした。それで４兆円を作って、アメリカに差し出すこともした。孫正義の苦肉の策は後手後手《ごてごて》に回って、ますます、その見せかけのカラ金《がね》で、巨万の富があるように見せかけることに失敗しつつある。

孫正義は、もうスマホ事業から撤退したいのだ。スマホを放り投げて、やめてしまって、ＳＶＦの投資・金融事業の部門で生き延びようと、業態転換を狙ってきた。ソフトバンクが止《や》めたあとのスマホ事業を楽天《らくてん》（三木谷浩史《みきたにひろし》）に肩代《かたが》わりさせようと、日本の電波事業を監督している総務省（旧郵政省を吸収した）は目論《もくろ》んでいる。シナリオが読めてきた。

再度、Ｐ211のＳＢＧのＢ／Ｓ（バランスシート）に目を戻すと、銀行からの借入金（借金）が31兆円も有《あ》る。このうちの17兆円は、みずほ銀行からの借入金である。融資（ローン）と、ソフトバンクが発行した社債（カンパニー・ボンド）の買い取りの２種類の合計である。三井住友と三菱ＵＦＪ銀行の他の最大手銀からも３兆円ぐらいずつ借りているようだ。これら３大銀行は、「孫さん。ちゃんと返してくださいね」と哀願《あいがん》している。純資産（自己資本）が9兆円ある、としているが、ホントかな。ソフトバンクの本当の売上げは、1年に5000億円ぐらいのスマホ事業からの利益収入だけなのだ。どうして、こういう錬金術《れんきんじゅつ》が許されるのか。

それは、IFRS《アイファース》（国際会計基準 International Financial Reporting Standards）と呼ばれる会計原則の、悪用、脱法《だっぽう》による奇怪な会計処理から生まれている。日本の金融庁も国税庁もソフトバンクのやり方には恐くて文句が言えない。日本の官僚トップも、自民党政府も、孫正義の後《うし》ろにいる米ロックフェラー財閥からの痛めつけを加えられるのが怖いからだ。孫正義の直接の親分（こいつが孫を操《あやつ》っている）が、ブラックストーン会長（CEO《シーイーオウ》）のスティーブン・シュワルツマンである。

ソフトバンクのB／Sの作り方の秘密は、まず、右側の「負債＋純資産」の合計である37兆円（こっちはほぼ実体がある）に対して、反対側の「資産の部」を、この37兆円の借金に合わせて、無理やり膨《ふく》らませて、ここに「無形固定資産」という、所謂《いわゆる》のれん＝知的財産（知財《ちざい》）＝ノウハウと呼ばれる項目が6兆円もあることだ。これは保有する特許権や、著作権などの知財《ちざい》の価格を、勝手に1本1000億円とかに高く評価して載せてあるからだ。

普通なら国税庁から「こんな高い値段（価値）はしませんよ。この特許は、せいぜい100億円でしょう」と訂正指図《さしず》が出る。それを、ソフトバンクには出さない。この他に前述した「ヴィジョン・ファンド」（ＳＶ《ヴィジョン》Ｆ）による、ハイテク企業群への株投資の結果として、株式評価額の見積もりが13兆円ぐらい載せてある。これらは時価会計に基づく時《じ》価《か》で書かれているはずである。

どうも孫正義は、ここをいじくっている。例えば、つい最近、ＡＲＭ《アーム》を4・2兆円で売却したから、その分の資産《アセット》が減るはずなのに、なぜかＡＲＭを買い取ったエヌヴィディア社（半導体設計会社《セミコンダクター》）の株式と一部を交換の形にしてある。それでＢ／Ｓの減少を上手に穴埋めしているようなのだ。

こういうことばっかり孫正義はやっている。そしてその仕上げが、ＳＢＧの株式を「ＲＯＥ《アールオウイー》会計の妙技」である自社株式の買い上げで、株価を吊り上げるという手法である。これでＳＢＧの株価を7000円（10月8日）に戻した。これで文句はないだろう。これだけの株価の評価があるのだから、これでソフトバンクは立派な会社で優良株だ、ということになる。こういう手品ばっかりを孫正義はやっている。そのうち決定的なボロが出るだろう。

ソフトバンクの公然たる粉飾《ふんしょく》決算に比べて、競争相手であるNTTドコモはP211のB／Sにあるとおり、総資産がたったの7・5兆円である。私たち愛国的な中年オヤジがみんな使っているNTTドコモのスマホ事業で、たったの7・7兆円の会社である。株式の時価総額もわずか8・5兆円である。錬金術をやらないで真面目に決算書を作ると、P211の表で一目瞭然でNTTドコモは、ソフトバンクに比べるとチビな会社である。そんなはずがあるわけがない。

だから親会社のNTTが、ついに怒り出して「NTTがドコモを合併して、直接吸収する」と言い出した（9月30日）。これでNTTドコモは消えてなくなるのだ。元々のNTT（昔の電電公社）に戻ってゆく。この方針は実現するようだ。政府を含めて誰も反対しない。調べてみたら、この合併でNTTとドコモを合わせて、時価総額で17兆円の大企業になる。

怒ったNTT本体《ほんたい》が、なんとドコモとまったく同じ時価総額で8・5億ドル（9兆円）しかなかった。売上げだって11・8兆円である。本体のほうも、この30年間アメリカにさんざん虐《いじ》められて、こんなにみっともない会社になっていたのだ。知ってビックリの現状だ。

MMT理論の源流はミルトン・フリードマンである

前章からここまでの話で、「先進国の政府（財務省）と中央銀行は、必要なだけどれだけでも国債とお札を増発していい」ということになってしまった。ただし、激しいインフレが起きなければ、という条件付きである。

現在のアメリカ経済学界の主流派は、「ニュー・ケインジアン」と呼ばれる人々である。ハーヴァード大学やカリフォルニア大学バークレー校（UCB）にいて、新《しん》ケインズ主義者を名乗っている。彼らは同時に新古典派《ネオ・クラシカル》でもある。だがしかし、彼らの本当の顔は、ケインズ思想の裏切り者だ。彼らの真実の姿は、マネタリスト（monetarist）である。マネタリズムは、「とにかくお金が中心」の経済学である。長年、シカゴ大学教授（シカゴ学派）だったミルトン・フリードマンが主唱し、創業した学派だ。

フリードマンの先生は、オーストリア国からやってきたフリードリヒ・ハイエク博士だということになっている。しかし、本物の思想家であるハイエクは、後年、弟子のフリードマンを激しく嫌った。「お前は私の弟子ではない」とまで言った。フリードマンが暴走して唱えた「政府は必要ならば、いくらでもお札（紙幣）を発行して経済政策（国家の経営）をできる」という危険な思想を、ハイエクは強く批判した。この考えを、今回、私は、この本でずっと取り上げた。現在のMMT理論も、その源流は、まさしくフリードマンである。

フリードリヒ・ハイエク（1899－1992）は、1931年にロンドンに亡命してきて、ロンドン大学のLSE《エルエスイー》（ロンドン・スクール・オブ・エコノミクス）の教授になった（32歳）。当時、すでに〝イギリス経済学界の大御所〟だったジョン・メイナード・ケインズ（英国王ジョージ5世の顧問を務めた）とハイエクは論争を始めた。ケインズが『貨幣論』（1930年刊、47歳）を書いていた。1933年には、ハイエクも『貨幣理論と景気循環』を出版して論戦が続いた。

今、考えてみると、このときの2人の論争がきわめて重要だ。現在なお、「一体、経済学という学問は何なのだ」という根幹に関わる最重要問題を、2人は提起していた。まさしく「経済学とは、唯一、政府がお金をどれだけ刷って、世の中に配れるのか、を研究すること」である。これ以外のことは、今の大学の経済学部で教える、ムズカシイいろいろのグラフを使った高等数学（を装った）のゴミの山である。このことが最近はっきりした。この大きな真実に、ケインズとハイエクは、1930年代にさっさと到達していた。真の天才とはそういうものだ。

ハイエクは、15歳も年上のケインズに喧嘩《けんか》を売ったが、ケインズは懐《ふところ》深くこれを迎え入れた。この2人だけが、人類にとって金融・経済とは何か、の最重要問題に到達していた。ハイエクも分かった。「なんだ。理論《りろん》経済学（エコノメトリックス）とか偉そうなこと言っているけれど、経済（学）とは政府がお金を作って配るだけだ」と。2人は本当は仲が良くて、互いに尊敬し合った。

ケインズは、終戦の翌年の1946年に死んだ（63歳）。ハイエクは真実を知ってしまったので興《きょう》ざめして、戦後は経済学をやめた。このあとは法制度論や歴史研究に没頭した。すでに名声が立っていたので、LSEで18年間教えたあと、1950年に、シカゴ大学に招かれた（51歳）。ロックフェラー2世が招聘《しょうへい》したのである。

今もアメリカ合衆国で、最高の大学とされるのは、ハーヴァード大学ではなくてシカゴ大学である。18歳で若くして保守で、一番頭がいい青年たちはシカゴ大学に行く。しかし、そのことが後々《のちのち》本人に幸せかは分からない。彼はシカゴ大学の大学院を出てハーヴァード大学の助教授になる。名門シカゴ大学も私立で、真実はロックフェラー財閥が一番大きなお金を出して創立した大学だ。そこに12歳年下のミルトン・フリードマンがいた。フリードマンが、外国人である自分を大事にしてくれたので、ハイエクは、ミルトンの策略に乗ってしまった。

ファシズムの復活

フリードマンの経済学は、とにかく民衆抑圧の、権力者のための経済学である。悪い人間ほど、優れた政治家や、企業経営者になれる、という思想である。

それに対してケインズは、「失業している多くの労働者に、何とか職を与えることが、経済学にとって一番大事な問題だ」という考えに立った。そして、『雇用・利子および貨幣の一般理論』*The General Theory of Employment, Interest and Money*, *1936* を大恐慌の最中《さなか》に書いた。この年は、1929年10月25日に起きたニューヨーク株式市場の大暴落から始まった世界恐慌が、まだ続いていて7年目である。

このとき「国家を経営するための経済学」という思想を、ケインズがこの本で築いた。

これをマクロ経済学という。
今の日本の大学の経済学部でも、ついにマクロ（巨視的《きょし》）経済学をまともに研究しなくなったそうだ。今はもっぱら、会計学とマイクロ（微視的《びし》）エコノミクス、すなわち「企業の経営のための経済学」を教えているそうである。内部関係者が白状した。マクロ分析は滅びた。国家を経営する経済学はもう無《な》いのだ。ケインズだけが唯一、偉大であり、彼だけがマクロ（巨視的）だったのだ。それでは、ケインズ以外のアメリカ経済学の今の大物教授たちの理論は何なのだ、ということになる。彼らは、ノーベル経済学賞を互いに貰《もら》いっこをしている。自分たちだけで盛り上がっているだけだ。今や彼らの学問偉業は、人々から疑惑の目で見られている。

戦後は、ケインズ主義の経済政策が欧米で万能と言えるほどの威力を持った。日本でも賞賛された。しかし、１９８０年代からケインジアン（ケインズ主義者）はボロボロになった。理由ははっきりしない。きっと大きな策略が実行されたのだろう。そしてシカゴ学派のマネタリストが台頭した。その代表がミルトン・フリードマンである。彼は露骨《ろこつ》に、「政府は、必要ならお金を刷《す》ればいいのだ」と死ぬまで言った（２００６年に94歳で死亡)。日本で1999年に起きた銀行危機のときも、(彼は)そう助言した。
ところが2008年に、ニューヨークで〝リーマン・ショック〟という大《だい》金融危機が起きて、マネタリズムは、うまくいかないことが判明した。いくら政府がお金を刷って撒《ま》いても金融危機が襲いかかるのだ。政府の財政赤字は雪ダルマ式に膨らむ。それで「ケインズに戻れ」となった。しかし、ケインズはもう死んでいる。人類は次の大《だい》天才が現われるまで待つしかない。次の世界恐慌の最中《さなか》に、新しい解決策を指し示す優れた人物が現われるだろう。

ケインズは、実は、戦前はイタリアのムッソリーニに期待していた。イタリアでファシスト党を作ったムッソリーニは、コーポラティズム Corporatism という政策を発明した。日本では学者たちが「開発独裁《かいはつどくさい》」という言葉を作って流行《はや》らせたが、これに近い。ケンブリッジ大学でケインズの兄弟子だったアーサー・ピグー(厚生《こうせい》経済学を作った人)もムッソリーニを支持した。

ムッソリーニは、「労働組合代表、経営者団体代表、農民代表、宗教界代表たちを、国家の委員会に一堂に集めて、労働者や農民(小作農)の賃金を皆で決める。その代わりに、労働者はもう暴れるな。ストライキをして工場を壊すな。経営者たちが困る」を実践した。この政策は、ムッソリーニが尊敬したローザンヌ学派という、レオン・ワルラスやウィルフレド・パレートの経済学者に習ったものだ。だが今では、ムッソリーニはファシズム（全体主義、独裁主義）でヒドく嫌われている。

この事実は大《おお》っぴらにはいってはいけないことになっている。しかし実際には、今、世界各国で、このムッソリーニの国家社会主義（ファシズム）であるコーポラティズムが復活しているのだ。このことを分かるほどの頭脳が日本に何人いるか。佐藤《さとう》優《まさる》氏は私との対談で分かっていた。他の知識人たちはどうか。

ケインズは、「市場《マーケット》では価格はそれほど自動的に決まらない。労働賃金も市場では決まらない」と分かっていた。だから自然な均衡《きんこう》（エクリブリアム）など無い、という思想を作った。ケインズは古典派も、新古典派も否定した。このことが今、再び重要になってきた。

戦後のハーヴァード大学経済学で、大御所だったポール・サムエルソンは、自分は「新古典派総合《そうごう》（シンセシス）だ」と主張して、「古典派とケインズ理論を自分は総合（統一）

した」と、吹聴した。これがとんでもない大間違いだった。自分がケインズを乗り越えて抑え込んだと、傲慢にも考えたのだ。

サムエルソンの後継者で愛弟子《まなでし》が、今のアメリカ経済学界を牛耳《ぎゅうじ》る、リベラル派のポール・クルーグマンである。クルーグマンからバカにされながらも、友人であるジョセフ・スティグリッツたちが、「そんなこと言ったって。アメリカの失業者の数はすごいのだ」と反論した。クルーグマンたち新《しん》古典派経済学の立場では、「失業は存在しない。あっても、すぐに解決する」である。この教義（ドグマ）を今も固く信じている。

市場の原理（マーケット・プリンシプル）によって必ず価格は決定される。賃金も決まる、と信じている。賃金すなわち労働力の値段を含む、すべての価格は市場で決定されて、すべてがうまくいく（オプティマリティの達成）、というのが新《しん》古典派の信念で、これはまさしく宗教である。だから、賃金や年金が今より半分になるのを我慢すれば、失業問題は解決する、とする。これを今の日本で、悪《ワル》の権化《ごんげ》の竹中平蔵が主張している。

人類を不幸にした経済学

戦時中は軍備を増強した。戦車や大砲、戦艦を山ほど作る戦時《せんじ》経済（ウォー・タイム・エコノミー）で景気を回復させた。だが、ケインズはこれに反対した。彼は「平和の配当」dividend of peace《ディヴィデンド・オブ・ピース》と言った。「戦争の配当」とか「帝国の配当」dividend of the empire《エムパイア》という言葉を絶対に使わなかった。「帝国の国民（今はアメリカ国民）であるならば、貧しい層にも分け与えられる配当」という意味である。ケインズは、あとあと自分の思想が、歴史の審判を受けるときに、自分が人類を不幸にする経済政策《エコノミック・ポリシー》の土台を作った、と言われたくないと分かっていた。ケインズは天才だから、百年先のことまで分かっていたのだ。「どうせ、きっと各国の政府は、追い詰められて、お金を刷り散らして生き延びようとするだろう」と。

今の経済学者たちは、もう政策提言をしない。できない。この20年間あれほど流行《はや》ったインフレーション・ターゲティング理論（インタゲ論。インフレ目標値《ち》設定理論）が、2008年のリーマン・ショックで破綻した。このときに自分たちの脳に相当なショックを受けて、それ以来、黙ってしまった。

リーマン・ショックのあとの10年間でも、それでもまだ、合理的期待形成学派（ラショナル・エクスペクテイショニスト）のロバート・ルーカスと伊藤隆敏《いとうたかとし》は、政策提言をした。しかし、誰ももう耳を傾《かたむ》けない。彼らは滅んだのだ。この「合理的（に）期待（される市場の）形成（はできる）学派」もまた、フリードマンのマネタリズムの一種であり、変種であることが満天下にバレてしまった。

そして、4年前の2016年の、ポピュリスト（民衆主義者《みんしゅう》）であるトランプ大統領の登場で、彼らアメリカの主流派経済学者たちは大打撃を受けた。ポール・クルーグマンは、トランプ大統領から、「お前は、もう古くさいやつだ」と公然とバカにされた。私は、これらの真実を、自分の『経済学という人類を不幸にした学問』（2020年3月、日本文芸社刊）に書いた。これを読むだけの知力のある人は読んでください。

5章

国民を一元管理する菅《すが》政権

菅義偉政権はどこへ向かうか

菅義偉《すがよしひで》政権が9月16日に始まった。その前の8月28日に、安倍晋三《あべしんぞう》が体調不良（潰瘍性《かいよう》大腸炎）を理由に辞任を表明した。

2012年12月から、なんと7年8カ月も続いた長期政権だった。国民はみんなうんざりしていた。ついに安倍が辞《や》めたか、というぐらいの反応しかしなかった。今後の菅《すが》政権について、私が新聞記者や政治評論家たちのようなことをあれこれ書いても、大した意味はない。だからここからは、私の独自の、菅政権がどこへ向かうかの予測をする。

以下の見方は、私独自のものではない。それは、ずっとこの時期を虎視眈々《こしたんたん》と待ち続けた菅義偉と二階俊博《にかいとしひろ》自民党幹事長が、2人で「安倍の寝首《ねくび》を掻《か》いた」という見方である。私もこれが正しいと思う。菅は7年間も官房長官を続けて、ずっと首相の女房役として安倍に従順に仕《つか》えていた。二階は安倍にべったり取り入って、「安倍首相は4選すべきである」とまで言い続けて、おべっか使いをしてきた。菅と2人で、よいしょ、よいしょ、と安倍を一所懸命に持ち上げてきた。政治部記者たちの覆面《ふくめん》記事では、「2年ぐらい前から安倍は菅のことを警戒するようになった。2人はコロナ騒ぎの前あたりから、お互い顔を

菅義偉首相は1年前に
アメリカで“首実検”を受けた

２０１９年5月10日、菅義偉官房長官はペンス副大統領とホワイトハウスで会談した。その１日前には、ポンペイオ国務長官とも会っている。

写真／外務省ＨＰ

見合わせることをしなくなった」と書いている。
森友《もりとも》学園事件（財務省の文書改竄《かいざん》事件）が、２０１７年2月に朝日新聞が報じて発覚した。もう3年前だ。そして、そのあとも安倍晋三は居直って、ずっと7年8カ月も政権を運営した。それから加計《かけ》学園問題（２０１７年5月17日）につながった。「総理のご意向」で、獣医学部が新設された問題である。

この間もずっと菅義偉は、一貫してクールな顔つきで、官房長官としてまったく動揺することもなく、感情的にならず、まるで他人事《ひとごと》のように記者会見で答えた。このときの記者たちへの回答が振《ふ》るっていた。記者の質問に対して無表情に、「その指摘は当たらない」と言う、人を食ったような驚くべき答弁をずっと繰り返した。あれにはみんなが呆《あき》れかえった。「その質問は（的《まと》に）当たっていない」と言うのが、一体、何を意味するのか分からず、みんな呆然《ぼうぜん》とした。

あのポーカー・フェイスの、ものごとに一切動じない態度が印象に残った。あの菅の態度を見ていて、アメリカの〝日本政治あやつり担当班〟（ジャパン・ハンドラーズ Japan handlers と言う）が、「次の日本の首相は、こいつにすべきだな」と決めたはずなのである。この男なら日本の他の政治家たちや官僚たちを、うまく押さえつけることがでのだ。アメリカの言うことも聞くだろう、という勤務評定と能力評価が下ったのだ。私の判断ではどうしてもこうなる。

私は菅義偉に、20年前に1回だけ会ったことがある。今みたいにすっきり痩《や》せたおじさんではなかった。でぶっと太っていた。顔つきは今と変わらない。もっと眼《め》がギロギロしていた。そこは若手の国会議員たちが40人ぐらい派閥横断で秘かに集まった会であった。私はそこで短い講演をするためのヒョーロンカ（評論家）として呼ばれた。宴会に呼ばれる芸者のようなもので、何の役にもならない。

私は菅義偉と名刺交換したときに、「住吉《すみよし》連合会（現・住吉会。指定暴力団）の方ですか？」と思わず聞いた。なぜそんなとんでもないことを口走ったのか、自分でも分からない。彼は目をグリグリさせて、「何を言うんだね、君は」という顔をした。それだけである。

私が1年前に予言したこと

私は、実は、早くも去年（２０１９年）の5月に、「安倍の次の首相は菅義偉だろう」

と予測（予言）した。そのことを私の「副島隆彦の学問道場」ホームページの「重たい掲示板」に書いた。その証拠の文章を以下に載せる。２０１９年5月4日に書いた。

（２０１９年）5月8日に菅義偉官房長官がアメリカに呼ばれて、ホワイトハウスに行く。官房長官は首相の女房役だから、国を離れてはいけない決まりがある。異例のことである。菅義偉は、どうやらトランプ政権に首実検《くびじっけん》を受けにゆく。「果たして、安倍のあとはこいつでいいのか。アメリカの言うことをちゃんと聞くか。文句を言わないで、カネを払うか（米国債を買い続けるか）。そしてこいつで、日本国内をきちんと治めることができるのか」の検査を受けに行く。

私はこの重要な問題を、予測、予言しなければいけない（後日談として。この菅の〝首実検〟はペンス副大統領がした。そしてトランプに此奴《こいつ》でOKとなったようだ）。

ウイリアム・ハガティ駐日アメリカ大使（当時）が動き回って、トランプ政権に、この案を上に上げたようだ。副島隆彦の「帝国－属国」理論の、公式（フォーミュラ）を当てはめると、自然に答えが出る、アメリカ帝国が自分の属国の次の王を決める。このとき、まずその権限者はアメリカ大使である。だから、ウイリアム・ハガティが動かな……いと、今のようなことは起きない。

このように1年半前に私は書いた。そして今年の8月28日に安倍晋三が辞任の記者会見をした。このあと自民党の総裁選（9月14日）に菅と、石破茂《いしばしげる》、岸田文雄《きしだふみお》たちが出るというニューズが流れた。他に河野太郎《こうのたろう》や小泉進次郎《こいずみしんじろう》とかの名前も挙がった。

私は、「菅で決まりだ」と即座に「重たい掲示板」に書いた。

……………………………………

次の首相は菅義偉だろう。去年5月アメリカで〝首実検〟済みだから

投稿者　副島隆彦　　投稿日　2020・8・31

副島隆彦です。今日は、2020年8月31日（月）です。

次の日本国の首相は、菅義偉（現官房長官）だ。石破でも、岸田でもない。

私、副島隆彦がはっきりと予測（予言）をする。このことは、すでに日本国内のトップ（権力の中枢にいる人間たち）の間では、既定事項だ。新聞記者たちレベルなら知っている。

以下に載せる産経新聞の、昨晩の9時半の記事である「石破氏が菅氏の出馬で戦略を見直し　派内に非戦《ひせん》論も」を読めば分かることだ。

「石破氏、菅氏出馬で戦略見直し　派内に非戦論も」

菅義偉官房長官が自民党総裁選に出馬する意向を固めたことで、立候補の準備を進める石破茂元幹事長も戦略の見直しを余儀なくされた。知名度を生かす武器と考えていた党員・党友投票が見送られる方向となる中、連携を期待した二階俊博幹事長が菅氏の擁立に動き、国会議員の支持拡大も難しくなってきたからだ。

「（菅氏は）一緒に（民主党から）政権を奪還した信頼する人だ。立候補していろいろな見解を述べ、選挙が行われることは意義がある」。石破氏は8月30日、大津市内で記者団にこう述べ、菅氏の立候補を歓迎した。

ただ、石破派（水月会《すいげつかい》、19人）では菅氏の参戦に頭を抱える議員が多い。党内基盤が脆弱《ぜいじゃく》な石破氏は、二階氏への期待感が強かった。それだけでなく、二階氏と関係が良好な菅氏との連携を模索する向きもあった。

石破氏は、9月17日に予定する石破派の政治資金パーティーで二階氏を講師に招いた。さらに、6月発売の月刊誌「文芸春秋」では、菅氏を「地方への熱い思いを持っている」と持ち上げ、秋波《しゅうは》を送った。石破派の関係者は「菅氏が出馬し、それを二階氏が支える構図ができたことでシナリオが崩れた」と語る。

（産経新聞　2020年8月30日）

だが、なぜ菅で決まりか、を事前に解説できる日本国内のトップ新聞記者や評論家はいない。私、副島隆彦が、今からその証明《プルーフ》をしてみせる。今から私が書くことが、日本国内の政治言論を動かす。しっかり丁寧《ていねい》に読みなさい。自民党の政治家たちでもトップの10人ぐらいしか知らないことだ。私がこれから書くことが、日本国内の新聞記者たちの間に、ザワザワと広がる。以下は私が出版社の編集長へ送ったメールである。

○○書房　○○編集長へ　副島隆彦から　8月31日　午前9時

私は、今朝2時に起きて、昨日の9時半の産経の記事を読んで、「これじゃあ、菅だな」と判断しました。その理由は、去年（2019年）の5月10日に、菅義偉は、普通は有り得ない「異例」（首相の女房役の官房長官は、いざという事態のために国を離れられない決まりがある）の訪米をして、ホワイトハウスでペンス副大統領に会って、〝首実検《くびじつけん》〟を受けた。

このペンス・菅会談が行なわれていた副大統領用の会議室に、ひょっこり横からトランプ大統領が顔を出した。これを、drop in「ドロップ・イン」と言う。ここで、トランプが「ペンス。こいつで大丈夫なんだな。こいつで、日本をきちんと纏《まと》めることができるんだな」と。これで次は菅と決まった。

トランプは菅義偉のいる目の前で、英語で話せばどうせ日本人には分からない、と知っているから、横着《おうちやく》、非礼にも、このような会話をペンスとした。（メール引用終わり）

……………………………………………………

日本の首相はアメリカが決める

このようにして「日本の次の首相は、こいつで行く」とアメリカ政府が決めた。まだコロナ馬鹿騒ぎも始まっていない、去年の5月10日のことだ。アメリカの忠実な属国《ぞつこく》である日本の首相は、アメリカが決める。

子会社の社長は、親会社の社長や会長が決めるのだ。子会社の役員会で、互選で決めるのではない。こんなことも知らないで、サラリーマンをやっているとしたら相当なアホだ。世の中の仕組みを何も知らないで40歳台になった低脳人間だ。あるいは、男の世界の厳しい上下関係、親分・子分関係を知らない、バカ女たちだ。バカ女たちをのさばらせてはいけない。仕事のできる能力のある女たちは、男の世界の掟（ルール）の中に入《はい》って、組織内でのし上がっている。

このことは、『属国　日本論』（初版１９９７年刊。決定版がＰＨＰ研究所　２０１９年10月刊。今から23年前の本だ）を書いた私、副島隆彦にとっては、自明《じめい》の法則だ。今からでも、私のこの本を読みなさい。

コロナ騒動が峠を越したから、「それでは計画どおり、そろそろ日本も次のに取り替えるか」となった。そして9月16日の菅政権の誕生となった。

このあとは来年の9月に、総選挙（衆議院選挙）をすることになる（4年の任期）。そしてまだ菅《すが》首相の手腕が続けば、菅が続投ということになる。

菅の登場には、アメリカのメディア（ジャパン・ウォッチャー）も、日本国民と同じく困惑しているようである。ニューヨーク・タイムズ紙（9／14）は、短くポツリと「菅義偉の出現は、From Behind the Curtain「フラム・ビハインド・ザ・カーテン」すなわち「カーテンの裏から、普通は表に出てきてはいけない人物が躍り出てきた」と書いた。すなわち菅は忍者《ニンジャ》なのである。官僚や自民党若手政治家の若手で、無能な者は、即座に判断されてバサバサ首を切られるだろう。

私は、併《あわ》せて昨年の9月に、「ケネス・ワインスタイン（米ハドソン研究所の所長）という男が、次の駐日アメリカ大使になる」と日本初公《はっ》開で書いた。アメリカ政治研究でも、私が日本国内の誰よりも群を抜いているのだ。その後、ワインスタインが駐日本大使になる人事は滞《とどこお》っていた。この男の、裏の動きと勢力背景が、上院議員《セネター》たちに嫌われたからだ。アメリカ国では、外交と大使人事は上院が握る。それに対して、国家予算の配分の決定は下院でやる。下院議員たちが、予算のあれこれの配分を（本当は財務省のOMB《オウエムビー》［行政管理予算局］だが）決める。

このケネス・ワインスタインの大使人事を、承認するための上院議会（セネト）での審議が、急に前向きに進み出した。8月5日に彼への公聴会《パブリック・ヒアリング》が行なわれた。このケネス・ワインスタインとも、菅は数回、官房長官として公式の立場で、東京で表敬訪問を受けて会っている。まだちょっと分からない点もあるが、この男を急いで米議会が承認して、駐日大使にするだろう。そして、次の菅と二階と古賀誠《こがまこと》の政権に、アメリカは、上から目線で対応する。

ケネス・ワインスタインは、ふにゃふにゃしたインテリで、大した人物ではない。だが、この男の奥さん（配偶者《スパウズ》）が、ニューヨークのユダヤ社会で大物の、ドスの効《き》いたオバさまである。ニューヨークの正統派（オーソドックス）ユダヤ人で、トランプの女婿《じょせい》（むすめむこ）のジャレット・クシュナーと同志である。

②オーソドックス・ジュー（正統派ユダヤ人）は、ニューヨークのローアー（低いほう、下のほう、貧乏）に集住する、保守派である①超《ちょう》正統派（ウルトラ・オーソドックス）の、ハシディーム（ハシド派）を嫌う。彼らの頑迷な原理主義のユダヤ思想を排除する。

ハシド派は下層ユダヤ人で、例の、顎《あご》ヒゲやもみあげを伸ばし、黒い服を着て大きな帽子をかぶっている。彼らは、自分たちは古代以来のラビ（祭司《さいし》）の家系だ、と勝手に威張る神がかりの連中だ。日本で言えば、古神道《こしんとう》やら、神《かん》ながらの道とか言い出す、おかしな右翼たちと同じだ。今の流行《はや》りコトバで言えば、原理主義（ファンダメンタリズム）の一種だ。

ここで教えておきますが、現代のユダヤ人は、大きくは3種類しかいない。次のように大きく、大きく理解しなさい。①超正統派（ウルトラ・オーソドックス）、②正統派（オーソドックス）、そして③がリフォームド（改革派）である。この③の改革派は、たとえばハーヴァード大学のユダヤ系の教授たちだ。彼らは厳しい戒律や教義には従わない。ユダヤ教は世界の大《だい》宗教のひとつだが、ただの宗教の一つだと、緩《ゆる》やかに穏《おだ》やかに考える。だからイスラエル国のリベラル派国民（旧労働党系）が、この③改革派である。それに対して、イスラエル国現政権のネタニヤフ首相たちリクード党は、②の正統派である。泥臭い現実保守勢力である。分かりますか。

ジャレット・クシュナーたち、NYの正統派（オーソドックス）ユダヤ人たちこそは、世界のユダヤ組織の中心であり頂点である。彼らは、イスラエル国に集住するユダヤ人たちを上手に押さえ付ける（実は、現在のユダヤ人のほとんどは、ヨーロッパからの帰還ユダヤ人である。3000年前からのユダヤ人なんか、今のパレスチナ＝イスラエルに居《い》ない）。
だから、イスラエル国にユダヤ人の中心勢力がいるのではない。ＮＹにいるのだ。アメリカ合衆国には、③のリフォームド・ジュー（改革派）の隠れユダヤ人（クローゼット・ジュー）を含めて、２０００万人のユダヤ系の国民がいる。米国でユダヤ系を名乗っている人々は９００万人である。イスラエル国民は８８８万人である。このことを分かりなさい。

だから、クシュナーと、ケネス・ワインスタインの奥さんのような、ＮＹの②正統派ユダヤ人に力がある。そしてヘンリー・キッシンジャーもこの上級ユダヤ人のアッパー・クラス・ジューだ。カイク Kikeではない。カイクは右翼的保守派である①超正統派だ。それに対して②の正統派ユダヤ人《オーソドックス・ジュー》は、世界中の強固な反共《はんきょう》信念の統一教会（Mooniesムーニー）や、反共右翼軍人たち「ネメシス」Nemesis を上からギューッと統御《とうぎょ》、抑制《よくせい》するだけの力を持っている。

だからケネス・ワインスタイン（ＮＹなまりの英語では、ワインシュティーンと読む、発声する）を、アメリカ大使にするのである。「どうか、ワインスタイン氏を日本大使にしてください」と、トランプに直接、要望したのは、日本のムーニー Moonie 勢力の代表の安倍晋三（おじいちゃんの岸信介《きしのぶすけ》以来の）である。

米ハドソン研究所への最大の献金者は、笹川《ささかわ》平和財団である。世界ムーニーへの資金の出し手の大手も笹川平和財団（アメリカでは、The US-Japan Foundation 、ザ・ユーエス・ジャパン・ファウンデイションと言う）である。これで世界首都のワシントンの政治までも、激しく汚してしまった。

私、副島隆彦が、こういう恐ろしいことを書くから、これ以上、付いてこられない人々は、口をあんぐり開けてここから撤退する。だが、私がこの20年間かけて打ち込んできた「鬼滅《きめつ》の刃《やいば》」からは逃げられない（笑）。20年かけて、私が思想逆感染《ぎゃくかんせん》の、思想ヴァイラス（ドイツ語ならウイルス）を撒《ま》き散らしてきたので、今では集団免疫（ハード・イミュ ーニティ）が、日本国民の中の頭のいい層に行き渡りつつある。私は、ワクチンなんか使わない。直接、血清《けっせい》、血漿《けっしょう》を打ち込む。

この2人が、国民を一元的に管理(監視)する政策を企《くわだ》てた

写真／時事

2006年9月27日、竹中平蔵から総務大臣を引き継いだときの菅義偉。今から14年前である。

このときからマイナンバーと銀行口座を紐づけするデジタル化構想が始まっていた。菅首相は、初めは竹中を重宝がる様子を見せているが、そのうちに情勢が変わって、2人の間に亀裂が生じるだろう。

首相の背後にいる男

菅義偉首相の背後にいる、と公然と言われているのが、あの竹中平蔵《たけなかへいぞう》である。竹中が、小泉純一郎《こいずみじゅんいちろう》政権（第3次改造内閣）で総務大臣だったとき（2006年）、菅は総務副大臣で竹中の下にいた。

菅は、自分の政権の〝看板政策〟として、「デジタル庁」の創設を打ち出した。このデジタル庁構想は、竹中が言い出したものだ。このデジタル化とは、国民の個人情報を国家（行政が）吸い上げて、コンピュータで一元管理する計画である。マイナンバーカードと銀行口座を紐づけして、国民のお金の動きをすべて監視する体制に変えるということである。

私は『全体主義（トータリタリアニズム）の中国がアメリカを打ち倒す』（ビジネス社、2019年刊）という本を書いた。国民すべての動きを、監視カメラ（センサーとビッグデータ用コンピュータ）で中国政府が管理し尽くしている。このことがアメリカ帝国を打倒しつつある強い力になっている。だから、どうせ世界中の国々が中国のようになる。日本もその例外ではない。だから竹中のデジタル庁音頭取りが、とりわけて目新しいものだとは私は考えない。世界中の国々が、この国民（のお金）の監視に向かって驀進《ばくしん》中なのだから。

「コロナ渦中の企業支援、日銀になお役割＝竹中平蔵・東洋大教授」

小泉純一郎政権で、構造改革を進めた竹中平蔵東洋大学教授は9月3日、ロイターとのインタビューで、次期政権が取り組むべき課題として、新型コロナウイルス感染拡大の影響を受けた企業への資金支援を挙げ、給付型から貸付型に変えていくべきだと指摘した。その中で日銀の役割が広がる可能性があると語った。

自民党総裁選に出馬表明した菅義偉官房長官と、政策について議論することもあるという竹中氏は、「新型コロナ渦中で苦しむ企業への支援策は今後も必要だ」と指摘。しかし、「給付型では財政に大きな負担がかかる」とし、「貸付型に変えていく必要がある」と語った。（略）

菅官房長官が会見で言及した地方銀行の再編については、「地銀が多すぎるというよりも、銀行のビジネスモデルが成り立たなくなっている」と指摘。顧客側が借り入れよりも資本性の資金を求めているとした上で、「新しい金融機関に生まれ変わらないといけない」と語った。「きちんとした競争をやっていけば数は減っていくと思う」と述べた。

さらに竹中氏は、新型コロナの感染拡大防止と経済回復という課題に直面する次期政権にとって、デジタル化の推進がその解決策だと強調。それが結果として地方経済の活性化にもつながるとし、「デジタル庁みたいなものを期限付きで作ればいい」と述べた。

（ロイター　2020年9月3日　傍点は引用者）

このあと菅《すが》政権は、即座にデジタル庁を公表した。これは国民行動を一元監視する狙いの他に、役人たち（官僚）が省庁ごとに縄張りを死守する、縦割り行政をブチ壊そうとしている。これは「行政費用の簡素化」であり、アメリカで1990年に生まれた上からのクーデター（宮廷革命）を起こす政治（政策）集団であるネオリベラル派の思想である。菅政権は、このことでは本気である。国民は、この点に期待している。私は、元々これら「現代アメリカのあれこれの思想派閥の研究家」であって、30年前から彼らの動きを追いかけてきたから分かるのだ。

悪の思想と秘密結社

竹中平蔵は、アメリカで特別に育てられ、ネオリベラル（新自由主義。ネオリベ）の思想で洗脳（ブレイン・ウォッシング、マインド・コントロール）されて、〝日本のネオリベの突撃隊長〟になるべく、日本に送り返されてきた男だ。

ネオリベラルとは、私が作ったアメリカの「思想派閥の表」（1995年作成）で、アメリカ民主党内の改革派として、ソビエトを打ち倒したあと（1990年）に出現した政策思想の集団、派閥である。「もう、このままではアメリカはやっていけない」という危機感から生まれた。強硬で強引な、規制撤廃（デレギュレイション）と強欲《ごうよく》資本主義（グリード・キャピタリズム）の推進と、博奕金融《ばくちきんゆう》までを礼賛《らいさん》する、えげつない思想派閥だ。これが改革派として猛威を振るう。

これに対して、共和党内にもまったく同じように、サプライ・サイダー派という政策思想派閥がまったく同時期に生まれた。これも強烈な現状改革派を自称する。民主党内の、えげつないネオリベラル派（強引な改革集団）に呼応して、それと対決するためにできた。この両派は、同じように実はよく似ている。このことは私の主著である『世界覇権国アメリカを動かす政治家と知識人たち』（1995年、筑摩書房刊。現在は講談社＋α文庫）に書いてある。こういう世界基準での、大きな現代の世界の政治思想について理解を知っている日本知識人は、私、副島隆彦しかいない。いないものはいない。

竹中は一橋大学を出たあと、開銀《かいぎん》（日本開発銀行。今の日本政策投資銀行。政府金融機関）の、ただの銀行員だった男だ。それが、アメリカに送られて、特殊な育てられ方をした。竹中は今では、まるで初めから経済学者でした、というふりをしている。生来、根性のひん曲がった、和歌山の下駄屋《げたや》の息子だ。ここで、関西人なら大笑いする。私は10年前に、朝日新聞大阪本社の一番上の大講演会場で、このことを思わずしゃべって、拍手喝采《かっさい》されたことを覚えている。竹中平蔵は、フレッド・バーグステンやグレン・ハバードに養育された。

竹中平蔵は、今の肩書は東洋大学教授だが、ずっと人材派遣（すなわち人身売買《じんしん》）のパソナの会長である。と同時に、オリックス（以前は宮内義彦《みやうちよしひこ》が会長）と、SBI《エスビーアイ》ホールディングス（北尾吉孝《きたおよしたか》の金融法人）という、ともに名うてのワルの会社の社外取締役もやっている。今の日本の一番悪い連中の総元締《そう》めだ。

もっと本当のことを書くと、彼らは、全部ＮＹの財界人たちが秘かに集まる「ボヘミアン・グローブ」Bohemian Globe という秘密結社のメンバーである。ここに推薦を受けて新会員になる者には、恐ろしい入会の儀式（イニシエイション）がある。その後も儀式（ライト　rite ）があって、入会者は一生この組織を裏切ることはできない。たとえば関西サントリー文化人の頭目《とうもく》だった山崎正和《やまざきまさかず》の利権は、すべて新浪剛史《にいなみたけし》に移ったと言われる。新浪は三菱商事で槇原稔《まきはらみのる》会長に育てられた人物で、ローソンの会長をやっていたが、今はサントリーの社長（ＣＥＯ）である。

ボヘミアン・グローブのことを、一番簡単に分かりたかったら、映画『アイズ・ワイド・シャット』（監督スタンリー・キューブリック）を思い出しなさい。まだ見ていない若い人たちは、今からでも絶対に見るべき映画だ。主演はトム・クルーズと女優ニコール・キッドマン（２人は当時、夫婦だった）である。この映画を撮り終えた直後に、キューブリック監督は急死した。

今度の菅政権に見える一つの大きな特徴は、だから彼を支えている首相ブレーンたちが、次から次に、このアメリカの秘密結社のメンバーであることだ。私はその顔ぶれに驚いている。再度書くが、入会者《メンバー》は、結社を絶対に裏切ることができない。そのときは死があるのみである。その代わりに、ここに入った者たちは、30代の若さで大企業の副社長《ヴァイス・プレジデント》クラスになる。彼らの信念（信仰）は、「この世は元々が、悪（悪魔）が支配している世界である。だから自ら進んで悪を自覚して実行することによってのみ統治者、経営者になれる」である。

そういう連中であるから、どんなに酷薄《こくはく》な決断でも下せる。社員の給料を一気に半分にしてしまったり、いらない子会社の従業員の首５００をすべて切りにいったりする。こういう残酷で非情なことが平気でできる人たちだ。そうでなければ、ボヘミアン・グローブの会員の有資格者ではない。竹中平蔵というのは、そういう訓練をアメリカでみっちり積んできた男である。

国民を一元的に管理して飼い殺しにする政策

竹中がもう一つ旗振り役をしているのが、アベノミクスの成長戦略で、規制緩和の本命と言われる「スーパーシティ構想」である。竹中は、「『スーパーシティ』構想の実現に向けた有識者懇談会」の座長だ。

スーパーシティとは、国が選んだ自治体（特区）を、人工知能（AI《エイアイ》）とビッグデータのIT技術を使って、未来型の都市にするというものだ。ここでは自動運転やテレワーク、キャッシュレス決済、遠隔《えんかく》医療、ドローンでの荷物配送などが行なわれる。特区の住民と企業の情報は、すべてビッグデータとして集約され、丸裸である。官邸は、このスーパーシティを「まるごと未来都市」と呼んで宣伝しているが、これこそ恐るべき監視社会そのものの誕生である。「安倍政治を継承する」と堂々と言っている菅義偉は、この計画を継続する。

この「スーパーシティ構想」の法案（「改正国家戦略特区法」）は、今年の5月27日に成立した。コロナ禍《か》（わざわい）のドサクサで国会を通した。

「「スーパーシティ」法成立　年内にも区域指定
個人情報保護に懸念　制度設計はこれから」

人工知能（AI）など先端技術を活用したまちづくりを目指す「スーパーシティ構

想」の実現に向けた改正国家戦略特区法は、5月27日の参院本会議で、自民、公明両党と日本維新の会などの賛成多数で可決、成立した。政府は、今夏以降、構想の実現に取り組む自治体を公募し、年内にも区域指定を目指す。しかし、住民合意をどう確保するかなど具体的な制度設計はこれからで、課題は残ったままだ。
「最先端の技術を活用して、快適な生活を送ることに誰も異論はないだろうが、代わりに自由とプライバシーを差し出すことはできない」。国民民主党の森裕子氏は、27日の参院本会議で反対討論に立ち、スーパーシティ構想への懸念を強調した。

（毎日新聞　2020年5月27日）

このように、菅政権は着々と規定方針どおりに国民を一元的に管理し、飼い殺しにする政策を実行する。そこに向かっての〝新《しん》体制〟すなわち国家社会主義（ファシズム）への道を歩んでゆく。
菅首相と竹中たちは、福祉のことは二の次で、本当は小金持《こがねも》ち（資産家層）が持っている金融資産を狙っている。なぜなら国内政策として、この富裕層から金融資産を取り上げて国のものにするしか他に、金目《かねめ》のものは日本にもう無いからだ。今や貧乏人であるサラリーマン層（4000万人）をいくら搾《しぼ》っても、これ以上は税金を取ることはできないからだ。サラリーマン（給与所得者）に今よりも税金を課すと、本当に冗談でなく、死んでしまう人々が出る。それが年収300万円にもならない下級《かきゅう》国民である。だから資産家層である小金持ち層が狙われる。P159で説明した「アッパーマス層」である。

私のこの本の真剣な読者たちは、まさしくこの小資産家層である。賃貸しアパート経営と、金《きん》や株などの金融資産を持っている。この金融資産が、これから狙われるのだ。気を引き締めて、本気になって自分の財産を守ってください。皆さんは私、副島隆彦の本を熱心に読むだけの深い知恵があるのですから。

ここからさらに、まったくガラリと変わって別の見方を書く。菅政権が国民に厳しい政策をじわじわと断行するのは目に見えている。そうしないと、政府自体の台所（財政）が火の車でゴーゴー燃えているからだ。

ただし。国際関係、世界政治においては、菅政権はこれまでの安倍政権とは違うまったく別の道に進むだろう。それは、日本は少しずつ中国のほうに近寄ってゆくということだ。

もうこれ以上、アメリカの支配と管理を受け入れない、という考えが日本の政・財・官界に見られるからだ。誰でも知っているとおり、二階俊博幹事長は、親中《しんちゅう》（国）派の頭目《とうもく》である。「日本は中国とも仲良くする、ケンカ（戦争）などしない」という考えが、菅政権から出てくる。これが、菅と二階が「安倍の寝首を掻いた」ことの証《あかし》となる。

何よりも、日本の輸出大企業（トヨタ、日立、パナソニック、ソニーなど）の経営トップたちが、「もうこれ以上アメリカのビジネスで、アメリカ政府の脅迫で利益を奪い取られたら、ウチはやっていけない」と悲鳴を上げている。この経済界の真実は、あまり知られていない。日本は徐々にアメリカから少しずつ離れざるを得ないのだ。それは韓国（今や中国寄り）、台湾、香港、フィリピン、タイ、インドネシアなどの動きを見ていると、分かることだ。

日本は、米中の激突の間《はざま》で悶《もだ》え苦しんでいる国である。菅政権は「中国と戦争はしない」という態度を取り始めるだろう。これが安倍政権を強力に支えてきた反共右翼《はんきょう》の経営者たちに、精神の動揺となって現われている。菅政権は安倍家（岸信介の系統）に忠実なまま、加藤勝信《かとうかつのぶ》を官房長官にし、岸信夫《きしのぶお》を防衛大臣にし、萩生田光一《はぎうだこういち》を文部科学大臣（再任）にした。だから表面上は、安倍路線を継承したように見せかけている。しかし、

『隣組読本　戦費と国債』から

て買つた國債を組合長《くみあひちやう》の證明書をつけて二年以上郵便局に保管を委託《ゐたく》し、又は日本銀行に登錄國債として預《あづ》けて置けば額面三千圓迄は分類所得稅が免除《めんぢよ》されるといふ特典《とくてん》があるのです。此《こ》の場合には稅金分丈《だけ》利廻がよくなつて稅引《ぜいびき》の場合なら三分《ぶ》五厘《りん》一毛《もう》なのが三分《ぶ》六厘《りん》五毛《もう》になります。

花嫁の持參金も國債で

子は召され父も銃後で御奉公

勝利へ！建設へ！
躍進日本・
銃後の協力は
國債を買ふことだ。

戦時中、庶民にこの冊子が配られて、戦時国債を買うことが奨励された。しかしその国債は償還されなかった。

やがてどんでん返しが起きるだろう。

コロナ対策という〝ショック・ドクトリン〟

私はこの半年、ずっと書いてきたのだが、今回のコロナウイルス騒ぎは、世界権力者、支配者たちが実行した「大惨事《だいさんじ》便乗型資本主義」disaster capitalism「ディザスター・キャピタリズム」である。あるいはshock doctrine「ショック・ドクトリン」である。すなわち大災害や大事件、戦争、恐慌で「国民を恐怖に陥《おとしい》れ支配する」という統治戦略である。私はこのことが分かっているから、今回も騒ぐ気がない。さらに別名は、shock politics「ショック・ポリティックス」で「恐怖で人民を支配せよ政治《ポリティクス》」である。

しかし、国民は、「コロナウイルスがコワイ、コワイ。ステイホームとソーシャル・ディスタンスが大事だね」と洗脳された。このように国家権力者、支配者たちは、大惨事に〝便乗〟して国民を上手に支配する。

日本政府はコロナ対策と称して、前代未聞の巨額な特別対策費（補正予算）を作った。

ブルームバーグが以下のように書いている。

「コロナ対策の2次補正予算成立　過去最大31・9兆円―国債増発で財政悪化」

新型コロナウイルス感染拡大に伴う追加対策を盛り込んだ2020年度第2次補正予算が、6月12日の参院本会議で賛成多数で可決・成立した。予算規模は過去最大の31・9兆円。コロナ対応の経済対策の事業規模が234兆円と国内総生産（GDP）の4割に達する中、国債の追加発行により財政状況は悪化する。

第2次補正予算は、4月末の1次補正成立後から1カ月半弱で成立。新たに家賃支援給付金約2兆円が盛り込まれたほか、1次補正に盛り込まれた企業の資金繰り支援や医療提供体制の強化、地方の裁量で使える交付金などの規模・内容を拡充し、さらに予備費10兆円を積み増した。（略）

第2次補正の財源は全て国債の追加発行で賄《まかな》うため、2020年度の新規国債発行額は31・9兆円増の90・2兆円、一般会計予算の歳出総額は160・3兆円、公債依存度は56・3%とそれぞれ過去最高を更新する。その結果、20年度の基礎的財政収支（PB）は66・1兆円の赤字となる見通し。

（ブルームバーグ　2020年6月12日）

P67の表にしたとおり、2回の補正予算は合計で234兆円である。アメリカが3月15日に6兆ドル（600兆円。財務省が2兆ドル、FRBが4兆ドルの合計）のコロナ対策費をぶち上げたので、それに負けじ、と234兆円を謳《うた》い上げたのだ。しかしP70で書いたとおり、真水《まみず》（真実、実際）の財政支出は40兆円ぐらいである。

右のブルームバーグの記事に、今の日本政府も補正予算をすべて「国債の追加発行で賄《まかな》う」と書いてある。この日本国債を全部、日銀が財政法違反で直接引き受けるのだ。日本は80年前の戦争で、戦費を調達するために「戦時国債《せんじこくさい》」（公債）というのを発行した。政府が国債を発行して、それを日銀が引き受けたのだ。**街のタバコ屋さんでも戦時国債は売られた。**１９３７年（昭和12）から終戦（敗戦）の１９４５年（昭和20）までの8年間で増発された、戦時国債という国家借金証書は、当時の額面で総額１５００億円とい

2人のドイツ女が
ヨーロッパ全部の面倒をみる

写真／EPA＝時事

う超巨額さだ。この金額は1万倍すると1500兆円である。現在ならこれぐらいの巨額である。この戦時国債は、日本の敗戦で、すべて紙くず（デフォルト）になったのだ。

何ということをしたことか。そして戦争でボロ負けした。これとまた同じことが、再び起きようとしている。歴史は繰《く》り返《かえ》すのだ。1回目は悲劇として、2回目は茶番劇のような国民騙《だま》しの「お笑い劇場」として。そのカモにされたくなかったら、私の本を真剣に読みなさい。そしてP257に載せた『隣組読本　戦費と国債』の挿絵《さしえ》を、まじまじと見なさい。

世界の動きを読む

世界政治も同じように動く。

トランプ政権は、日本政府（安倍首相）に対して「駐留米軍経費（思いやり予算）を年間8000億円に増額しろ」と要求した。表面上、この思いやり予算は年間2200億円ぐらいになっている。だが、本当は6400億円ぐらいを毎年、今でも払っているのである。

だから、日本が国家予算から増額して毎年8000億円をアメリカに払うのは、簡単なことだ。しかし韓国は、アメリカから「2000億円ぐらい払え」と言われたとき、バーンと蹴飛ばした。なぜなら韓国は第2次大戦の敗戦国ではないからだ。アメリカ軍が朝鮮戦争のときから駐留している国であって、べつにアメリカに頼んで来てもらったわけではないし、占領されたわけでもない。

ところが日本は敗戦国である。アメリカに負けた国だから「お金を払え」と言われる。「そろそろ在日米軍はアメリカに帰ってください」と言えばいいのに、誰も言えない。

この議論が、ドイツでも出ている。ドイツはメルケル首相が強くて、頑強《がんきょう》に駐留米軍経費を少ししか払わないままだ。いくらトランプがメルケルに圧力をかけても、メルケルは折れない。へこたれない。ドイツ人は日本人と比べて根性がある。それどころか、メルケルは秘かにロシアのプーチンとつながっていて、ドイツとロシアは非常に仲がいい。このことは、日本ではほとんど報道されない。日本のメディアが偏向《へんこう》しているからだ。

P173で述べたとおり、ドイツは、ヨーロッパ全部の面倒を見ることに決めた。今回のコロナ騒ぎで分かったが、ドイツはイタリアとスペインを助ける。次の記事にあるとおり、それぞれ21兆円と17兆円を援助した。これらの3分の2は返さなくていい資金だ。これはヨーロッパ全体の大きな政策転換である。ヨーロッパは静かにアメリカの支配から離れて、独自の道を歩こうとしている。そしてドイツがそれを領導しようとしている。ヨーロッパは、今や「ドイツ第4帝国（クワトロ・ライヒ Quatro Reich ）の版図になりつつある。メルケルはその「女帝《エンペレス》」マリア・テレジアの再来である。

「コロナ打撃 欧州委、89兆円基金案（ユーロ共通債） 加盟国の復興支援」

欧州連合（EU）のフォン・デア・ライエン欧州委員長は5月27日、新型コロナウイルスで打撃を受けた加盟国を支援するため、7500億ユーロ（約89兆円）の復興基金を設ける方針を加盟国と欧州議会に提案した。財源は欧州委員会が事実上の共同債を初めて発行して調達し、基金の3分の2（5000億ユーロ）は、返済義務のない加盟国への補助金とする。（略）基金のうち、（この）5000億ユーロ（約60兆円）は補助金とし、（残りの）2500億ユーロ（約30兆円）は融資を想定する。すべての加盟国を支援の対象とするが、多くは被害が甚大なイタリア（21兆円）やスペイン（17兆円）などに配分するとみられる。

（毎日新聞　2020年5月29日　注は引用者）

これまでのドイツは、ずっとしぶちん、けちんぼ路線だった。ドイツ連邦銀行（ブンデス・バンク。中央銀行）は、「絶対に根拠のないお金は出さない」と主張していた。だが、ついに決断して大きな政策転換を女帝メルケルがやってのけた。ヨーロッパの面倒をドイツが見る、という覚悟を決めたのだ。スウェーデンやデンマークなどの北ヨーロッパのほうは、国家財政がしっかりしている。だが、南ヨーロッパ諸国、ラテン系は弱い。だからドイツが支えると決めた。

同時に、ドイツはロシアと仲良くして、ロシアのカスピ海からヴィボルグ（レニングラード州）を経由する海底パイプラインをバルト海に通して、ドイツにつながる天然ガスのパイプを通す。「ノルドストリーム2」という。このパイプラインは、2021年には稼働する予定である。さらにドイツから、他のヨーロッパ諸国に天然ガスを配る計画だ。

これに対してトランプがワーワー圧力をかけて、「（ノルドストリーム2を使って）ロシアから天然ガスを買うな」と、ものすごい圧力をかけた。しかしメルケルは、このアメリカの強引な圧力を、のらりくらりとかわして、ずっと拒絶し続けた。メルケルは、「そんなことをアメリカに言われる筋合いはない」という決然たる態度だ。

ドイツは、NATO《ネイトー》の軍事（安全保障）の経費も最小限度しか払っていない。「NATO軍をドイツから引き上げたければ、どうぞ」である。

NATOに集まっているヨーロッパ各国からの将軍たちは、ガリガリの反共《はんきよう》主義者で、いつでも、今でもリトアニアとポーランド、ウクライナ国境から、ロシアに攻め込んでやるという姿勢だ。ミサイル戦でも戦車戦でもやってやる、と身構えている。

この恐ろしい反共《はんきよう》主義者の連中を、なんとか押さえ込みながら、ドイツもロシアも穏便《おんびん》に動いている。ウクライナの新政権は、ロシアと戦争しない、と決めている。「西側諸国《ザ・ウエスト》がベラルーシを助けてくれるわけではない。ただし今の独裁政治はやめてくれ」ということを、野党勢力が言っている。ウクライナはロシアと言葉も通じるし、ウクライナ国内にロシア人がたくさんいる。だから仲良くしながら、何とか生き延びるという方針に変わった。ロシアは、ウクライナとトルコ、それからシリア、イラク、イランのアラブ・イスラム圏の北方を大きく押さえている。

トランプはこのことをよく分かっているから、トランプ自身はロシア（プーチン）がイラク、シリアまで面倒を見ることを、プーチンとの間で暗黙《あんもく》の合意として結んでいる。世界政治の一番上のほうは、トランプ、プーチン、習近平、およびこの3人の先生（メンター、師匠）であるヘンリー・キッシンジャーによって結合しているのである。日本のそこらの保守人間たちには、このことが見えていない。分からない。意地でもわかりたくないのだろう。

写真／AFP＝時事

キッシンジャー（97歳）が「3帝」の先生《メンター》である

私は、キッシンジャー（今97歳）は来年ぐらいで死ぬかな、と思っていた。だが、あと3年は生きるだろう。100歳になる2024年まで生きるのではないか。ということは、キッシンジャーが生きているうちは、急激に世界が大きな戦争状態に転落していくことはない。

ただし覇権《ヘジェモニー》争いはある。「負けてたまるか」の闘いだ。アメリカは中国と世界覇権を争っている。先端の技術力や文化そして産業の各場面でも、覇権競争に負けるわけにはいかない。アメリカが米中対立を激化させているのは、覇権争いの各場面で中国に負け始めていることを認めたくないからだ。それでも私たちは世界の平和を守らなければいけない。戦争をしたがる者たちを見つけ出して、糾弾《きゆうだん》しなければいけない。

だから私は、もう何年も「トランプ、習近平、プーチンの3帝会談を開くべきだ」と書き続けてきた。「3帝会談」（第2次ヤルタ会談）の目的は、もうはっきりしている。核軍縮（ニュークレア・ディスアーマメント）である。核兵器の保有を減らそう、世界を安定させよう、ということだ。この核軍縮が公然となれば、どんなに「自分は習近平もトランプも大嫌い」という人たちでも反対できない。

今のところ、核軍縮には中国が乗ってこない。ロシアとアメリカで勝手に交渉してくだ

コロナで打撃を受けた世界諸国の実質成長率

(2020年4月～6月期。対前年比)

1	中国	3.2%
2	ベトナム	0.4%
3	台湾	−0.6%
4	韓国	−3.0%
5	ロシア	−8.5%
6	アメリカ	−9.5%
7	日本	−9.9%
8	ドイツ	−11.7%
9	タイ	−12.2%
10	カナダ	−13.5%
11	イタリア	−17.3%
12	フランス	−19.0%
13	メキシコ	−19.0%
14	イギリス	−21.7%
15	スペイン	−22.1%

この2カ国だけがプラス

あとの国は全部がマイナス。(「マイナス成長」とはヘンなコトバだ。本当は「経済衰退」である)

出所　OECDの発表から副島が作成

さい、という態度である。「わが国は８００発ぐらいしか核兵器を持っていませんから」という理屈である。ロシアとアメリカは、まだ５００発ぐらいずつ核弾頭《ニュークレア・ウォーヘッド》を持っている。だが中国は、中距離《ちゅうきょり》弾道ミサイル（ＩＮＦ《アイエヌエフ》）をどれぐらい持っているか分からない。発表していない。

中国はコロナを「迎撃」した

コロナ・バカ騒ぎのことは、前の金融本（『もうすぐ 世界恐慌』２０２０年5月、徳間書店刊）と新書の『日本は戦争に連れてゆかれる　狂人日記２０２０』（２０２０年８月、祥伝社刊）でたくさん書いたので、この本ではもう書かない。

しかし、これだけは再度、書いておく。去年（２０１９年）の10月に、中国の武漢《ぶかん》（ウーハン）で発生した新型のウイルスは、アメリカ軍の中の強硬派（ヒラリー派）が撒《ま》いたものだ。だから、これは「米中の生物化学兵器戦争」（biological《バイオロジカル》 chemical《ケミカル》 warfare《ウォーフェア》）だったのである。そして中国は、この新型の戦争に勝利した。中国はコロナウイルスを「迎《げい》撃《げき》」した。疫病《パンデミック》の防御や鎮静化《ちんせいか》ではなくて迎撃したのだ。そういう論文が中国で出た。

中国人は、上の習近平から下の民衆まで、みんなコロナ騒ぎの原因は何かを知っている。しかしこのことは言わないことになっている。アメリカと戦争になるからだ。中国は、戦争を好まない。アメリカが衰退するのをじっと待っているのが賢明だ、と知っている。

アメリカは失業率もひどいが、コロナ騒動のせいで、四半期（4〜6月）のＧＤＰ成長率が年換算《かんさん》でマイナス32・９％という恐るべき事態になった。この数字はアメリカ商務省が発表した。２０２０年の4月から6月までのＧＤＰの伸び率を、前年の四半期（３カ月）と比べると、年率でマイナス32・９％にもなる。戦後最悪の数字である。トランプは、「しまった。これは（中国だけでなく）執行部（政権担当者）である私への攻撃でもあったのだ」と気づいた。

それに対して中国は、4月〜6月の3カ月だけを見ても、プラス３・２％である（Ｐ269の表）。中国はさっさと立ち直った。都市の封鎖を解除した。外国から帰ってくる中国人を全部止めたが、国内は5月に封鎖解除して経済を復活させた。海外との移動の制限は世界中で起きているから、飛行機は飛ばない。ビジネスで乗らなければならない人たち専用とか、特別な分野で少しずつ開放しているらしい。

ただし物流は止めることはできない。貿易を止《と》めることはしなかった。飛行機で運ぶエアカーゴと、船便でカーゴに乗せて大量に運んでいる。これは、いくらアメリカが中国をいじめて痛めつけたくても、止められない。貿易、輸出入の物流は止めることができない。そうしないと、自分の国が困るからだ。部品でも製品でも、どうしても必要だから輸入するのだ。

アメリカ人にとって大事なのは、ウォルマートなどのメガ・スーパーである。アメリカ人はみんな、地方の人も都会の人も、週に1回とか、大きなスーパーに食料品や生活必需品を買い出しに行く。生鮮食料品はアメリカ国内産が多いだろうけれども、ちょっとした商品は、洋服でも何でもすべて今は中国製である。だから、物流を止めたらアメリカ人は生活必需品が買えなくて困る。中国からの巨大な輸入物資は、ワシントン州のシアトルの港に入る。アメリカが、いくら「中国を痛めつけてやる」と言っても、この物流を止めたら自分が絞《し》めつけられる。

コロナ関係の防護服でもマスクでも何でも、全部、中国製だった。「中国製は危ない」とか言っていた連中は、口を閉じてしまって言う言葉がない。自分の国で作ろうとしても、もう作れない。アメリカでは3M《スリーエム》社に作らせようとしたが、やはりダメだった。純《じゅん》国産品のマスクを作れといっても、できなかった。

だから、中国の悪口ばかり言っている人たちは、そろそろ考えを変えなさい。小金持《こがねも》ち層で「中国共産主義が大嫌い」、「中国人は大嫌い」とか言っている人たちも、そろそろ考えを変えなさい。どうせ中国が勝つのだ。

中国はあと5年で、共産主義体制をやめて、徐々にデモクラシー（民主政治。①普通選挙制［ユニヴァーサル・サフリッジ］と②複数政党制［マルチ・パーティ・システム］の2つから成る）を導入するだろう。

商売人や金持ちは、どこの国でも、政治権力者、支配者は恐ろしいのだと分かっている。政治家たちや官僚たちの権力闘争の激しさを、なんとなく知っている金持ち（資産家）と投資家は、自分はどうせ権力者にはならないのだから、強いほうにつきなさい。これが大事なことなのだ。やがて中国のほうが強そうだな、と分かったら、中国のほうにつきなさい。これが冷酷な副島理論である。

「副島さんは、中国の手先だからな」と、私にバカなことをいつまでも言わないように。

「強いほうにつく」のは、皆さんの元々の人生観でしょう。勝ちそうなところにつく、元気のいいところにつく、あるいは社長がしっかりしている会社の株を買う。負け国につくのは愚《おろ》か者のすることだ。それは当たり前のことでしょう。この考えをしっかり持ちなさい。

皆さんの周りにいる、「中国は許せない」とか「共産主義は大嫌いだ」ばっかり言っている人たちとは、縁を切りなさい。その人たちは、元々ろくな人間たちではない。私はずっと、このことを書いてきた。

私は「中国が大好きだ」とか、「共産主義が大好きだ」と言っているのではない。中国人は、地獄の底から這《は》い上がってきた民族だ。文化大革命（1966年から1976年までの10年間）で1億人が餓死して、多くの人々が血だらけで死んだ。そのあとから這い上がってきた。もっと大きくは、180年前の阿片《あへん》戦争（1840－1842）でイギリス（大英帝国）に負けて、清朝《しんちょう》（大清《だいしん》帝国）がボロボロにされてから150年間の地獄だ。だから一番悪いのはイギリスなのだ。日本は太平洋戦争でたくさん死んだといっても、たかが400万人である。中国は、この40年間に指導者の鄧小平《とうしょうへい》が優れていたので這い上がってきて、ようやく急激に豊かになった。

中国がこれからの世界で、経済、金融、政治、かつ文化でも支配してゆくだろう。この冷酷な考えを、甘く見ないように。こういうことは、普通は金融本には書かない。だが、書いておきたかった。

中国の悪口ばかり言っている人たちは、金融・経済評論家でも落ちこぼれて、自滅していった。このことを私は、はっきり書いておく。ただし、アメリカのおかしな反共《はんきょう》勢力であるディープ・ステイト Deep State という勢力の手先たちが、日本のメディア（テレビ、新聞）に今も山ほどいる。その人たちが、だんだん声が小さくなりながらも、まだまだ頑強に存在している。

だが皆さんは、「アジア人どうし戦わず」、「アジア人どうしで戦争をさせられるのは、もう御免《ごめん》だ」という考えを大事にしてください。私たちは、中国人や韓国人とは同じ東アジア人どうしで、顔つきも一緒で気持ちがなんとなく通じる。だから、もうこれまでのように、欧米白人様《さま》のようなふりをして生きたり、その子分だけをやり続けるという考えを捨てるべきだ。アメリカの没落と衰退を見越しながら、私たちは上手に賢く生きるべきだ。

あとがき

金《きん》の値段が、今年7月に、1オンス（31・1グラム）1500ドルから、2000ドルまで上がった（P17のグラフ参照）。今は1900ドルぐらいだ。これが1800ドルを割るようなら直ちに買い増しなさい。と言われても、何のことだか分からない人が今も大半だ。

それなら、日本円で金《きん》の「国内小売《こうり》価格」が1グラム5000円から8000円近くまで行った。今は7200円ぐらいだ（P5のグラフ参照）。これが1グラム7000円（小売り）を割るようだったら、急いで買い増ししなさい。

これなら分かるだろう。ただし、卸売《おろしうり》（業者間《かん》での値段）は、これから1グラム700円を差し引いたものだ。だから、現在は、1グラム6500円である。

こう書くと、もう分からなくなる。私は今や〝金《きん》買《か》え評論家〟であるから、どうやって人々に「金の買いどき、売りどき」を説明するか、で苦労してきた。ちょっと難しいことを書くと、もう読者は分からなくなる。分かったふりをして読み飛ばす。それでもP5などのグラフを見ると、それだけで、金《きん》の値動きが一目瞭然で分かる。そのとき私の説得はホントウ（真実）なのだと分かる。ここに私の本を読む効用がある。だから買って読みなさい。ネットでチャラチャラ、金融情報を拾い読みしてもダメです。それだと思考に体系性《システム》を獲得できない。

私は、今も、一体どこまで分かりやすく書いたら、皆にこの世の大きな真実を分かってもらえるかで、苦心惨憺《さんたん》している。もの書き業の苦しさは、一旦《いったん》世に出たあとは、このことに尽きる。もうプロのもの書きになって36年になるが、今もこのことで嫌《いや》になるほど苦しんでいる。いくつになっても、人生、楽になるということがない。人《ひと》それぞれの苦しみがあるだろう。

私は、自分の書く本の客（読者）になってくれる人たちのために頑張り続ける。それ以外の目標はない。この世の隠された真実を暴き立て人々に知らせること。これ以外に私にはすることがない。ただし、その真実は、「世の中（世界）の大きな枠組《わくぐ》みの中の真実」を表《おもて》に出すこと、でなければならない。私の苦闘はあと暫《しばら》く続く。

この本も祥伝社の岡部康彦氏の手を煩《わずら》わせた。社長になった辻浩明氏から「本を書いてくださいよ」と頼まれたのが１９９７年だったから、今年で23年になる。この本の表紙に「エコノ・グローバリスト・シリーズ23」と打ち込んでいるのは、この本が23冊目であることを示している。頭はまだ大丈夫だが、体のほうにガタが来《き》始めた。何とかこれを修理しながら、時代に合わせて前に《マルシオン、》前に《マルシオン》進まなければならない。記して感謝します。

２０２０年10月

副島隆彦

ホームページ「副島隆彦の学問道場」http://www.snsi.jp/

ここで私は前途のある、優秀だが貧しい若者たちを育てています。

会員になって、ご支援ください。

巻末特集

金融恐慌にも動じない 鉱物資源株25

以下に今回、推奨する株の一覧を載《の》せた。25株の銘柄だ。今回は、金《きん》の値上がりがまた暫《しばら》くしたら起きるので、金《きん》をはじめとする鉱物資源に注目した。鉱物や貴金属を自社で採掘しているか、それらを製錬《せいれん》・加工している会社を中心に載せた。

これらは、鉱物資源という実物資産《じつぶつ》（タンジブル・アセット）を扱っている。だから株式市場全体の大暴落が襲ってきても、下値抵抗線《したねていこうせん》が非常に強い企業である。本書P135に、世界の主要な産金《さんきん》会社（金鉱山を所有し、採掘している）の一覧表も載せた。これらと、以下に載せる日本国内の鉱物資源会社を見比べながら、自分の投資戦略を考えてほしい。

ここに日本を代表する産金・鉱山会社を載せている。日本は、貴金属を「都市鉱山《としこうざん》」と呼んで回収し、再利用（リサイクル）するのが得意である。貴金属を回収して、それで電子部品《デバイス》の製造販売までやっている。〝投資の神様〟ウォーレン・バフェットが言うとおり、「バリュー投資」で、本当に価値のある、実物の製品を作る企業が偉い。物作り（モノヅクリ）の本業に復帰すべきだ。これらは、だから次の金融恐慌が起きたときにも、動じることなく保有して、値上がり益を取れる隠れた優良銘柄である。

金融博奕《ばくち》で儲けよう、とばかり思っている人は、自分の考えを少し変えたほうがいい。貴金属のリサイクルを自分でやっている企業こそは、本当の資産株《しさんかぶ》である。これからの株式投資は、本当に実物経済に裏打ちされた〝お宝株《たから》〟を見つけ出すことである。

副島隆彦

〈**銘柄一覧の見方**〉

①企業名の下に付した4ケタの数字は「証券コード」。
②「最近の値段」は2020年10月7日現在のもの。
③株価チャートは直近6カ月間。東京証券取引所他の時系列データ（終値）から作成した。
④東1＝東証1部、東2＝東証2部、東M＝東証マザーズ、東証ＪＱ＝ジャスダック。

※いつも書いていますが、投資はあくまでも自己責任で行なってください。あとで私、副島隆彦にぐちゃぐちゃと言わないように。それから、この巻末だけを立ち読みしないで、本を買って読んでください。

あなたが賢くなります。

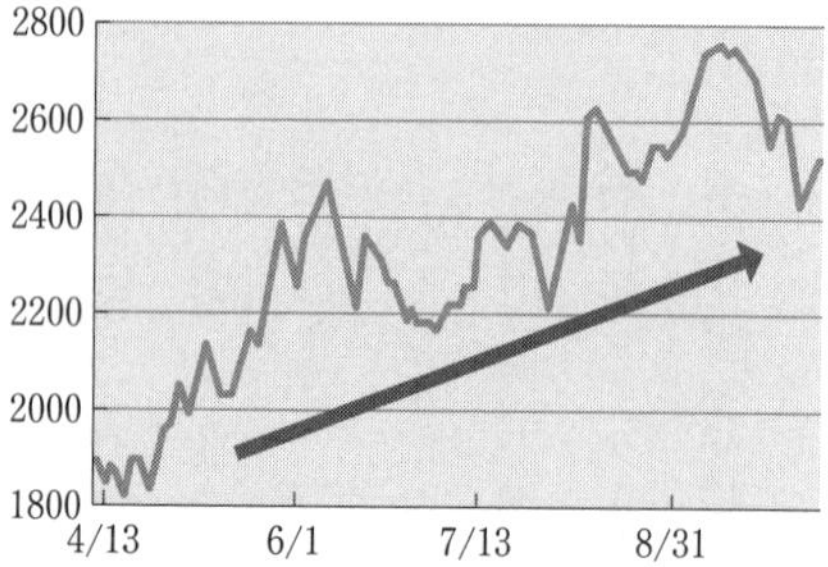

1 三井金属鉱業

5706
東1
最近の株価 **2,528円**

非鉄《ひてつ》金属製錬、機能材料の大手メーカーである。1950年に三井鉱山の金属部門を分離独立させ、神岡《かみおか》鉱業を設立。1952年に現商号に変更した。

亜鉛を中心とした非鉄金属の製錬を行なう金属事業とともに、自動車排ガス用触媒、電解銅箔《でんかいどうはく》(薄い銅のシート)などを生産する機能材料事業、ドアロックを中心にした自動車部品事業を展開する。非鉄金属事業が源流だが、業績が地金市場の変動の影響を大きく受けるため、付加価値をつける事業へ進出している。2021年3月期は売上高4778億2500万円、経常利益67億2500万円、来期は売上高5102億3800万円、経常利益196億7500万円が見込まれている。

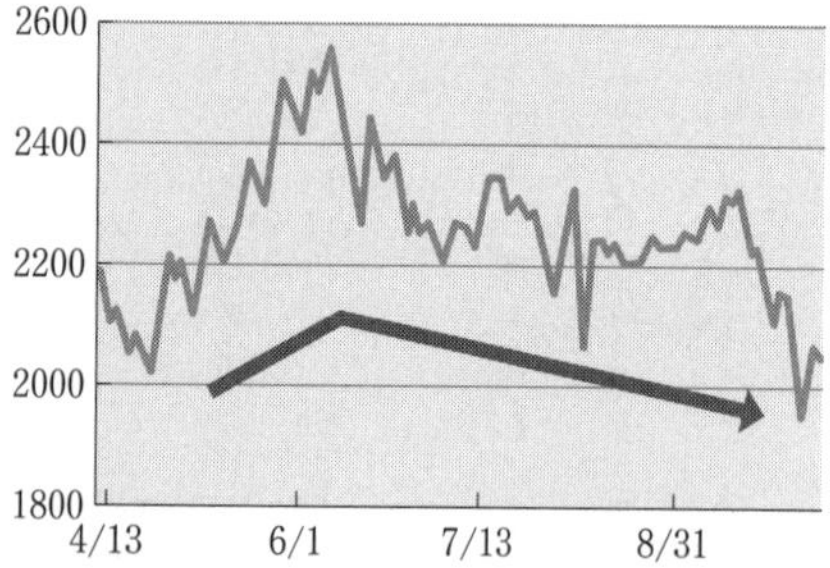

2 三菱マテリアル

5711
東1
最近の株価 **2,054円**

非鉄製錬業界のトップ企業。前身の三菱合資会社が、1896年に政府から佐《さ》渡《ど》金山の払い下げを受けた。1918年に三菱鉱業が設立され、1973年に三菱鉱業、三菱セメント、豊国《ほうこく》セメントが合併。1990年に三菱金属と合併して、三菱マテリアルとなった。

家電やパソコン、スマホなどの廃基板は、金・銀・銅・パラジウムなどの有価金属を高濃度に含むE-Scrap《イー・スクラップ》と呼ばれ、発生量が拡大している(都市鉱山)。香川県にある直島《なおしま》製錬所は、業界No.1の環境負荷低減を実現した有価金属製錬技術を強みに、E-Scrapを処理する。2021年3月期は売上高1兆4175億円、経常利益95億円、来期は売上高1兆4925億円、経常利益425億円を見込む。

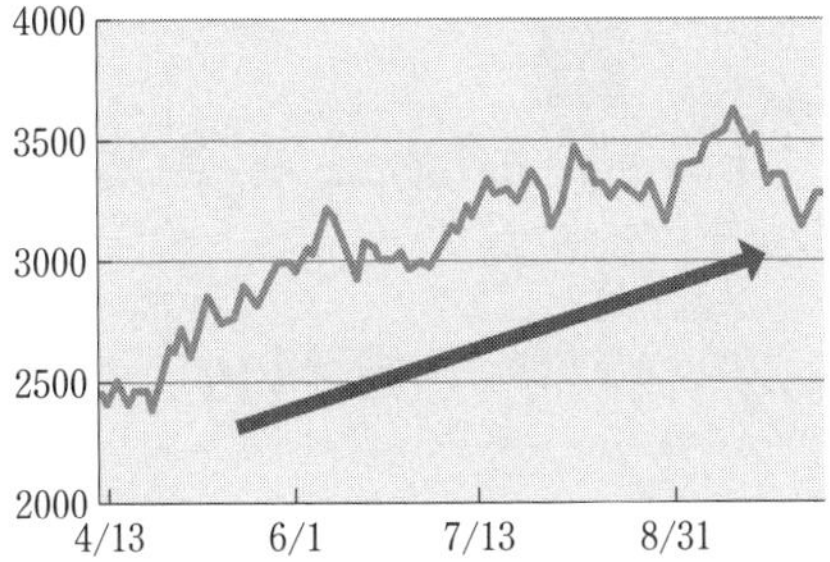

3 住友金属鉱山

5713
東1
最近の株価 **3,270円**

住友グループの源流である。銅、ニッケル、金、銀などの製錬を手がける非鉄総合会社だ。海外鉱山の開発で先行し、国内では唯一、電気ニッケルを生産している。1927年に住友別子《べっし》鉱山を設立し、10年後の1937年に住友別子鉱山と住友炭礦が合併して住友鉱業となった。そして1952年、住友金属鉱山に商号変更した。

金鉱山として世界有数の品位を持つ菱刈《ひしかり》鉱山を有し、海外でも金鉱山、銅鉱山を所有している。ニッケルで非鉄メジャー入りを目指している。2021年3月期は売上高8607億4000万円、経常利益617億4000万円、来期は売上高9006億円、経常利益859億2000万円が見込まれている。

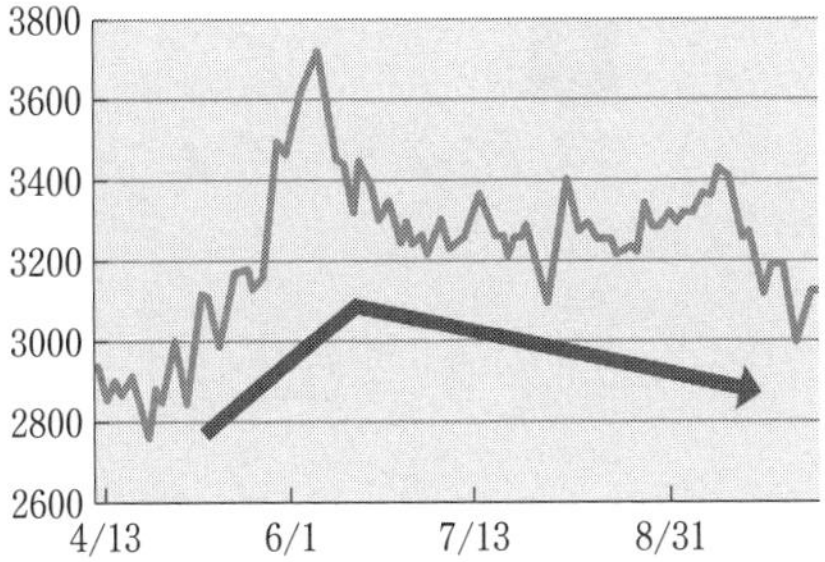

4 DOWA ホールディングス

5714
東1
最近の株価 **3,125円**

貴金属回収に強みを持つ大手非鉄メーカーである。1884年に創業。1945年に同和《どうわ》鉱業に商号変更し、2006年に持ち株会社制を導入して現商号となった。

DOWA発祥の地、秋田県のグループ会社である小坂《こさか》製錬では、使用済みPC基板などのE-Scrapや亜鉛製錬副産物を主な原料として受け入れ、貴金属やレアメタルを高効率に回収できる技術力をもとに、多数の金属を生産している。2021年3月期は売上高4646億9700万円、経常利益204億1300万円、来期は売上高4860億2300万円、経常利益290億7500万円が見込まれている。

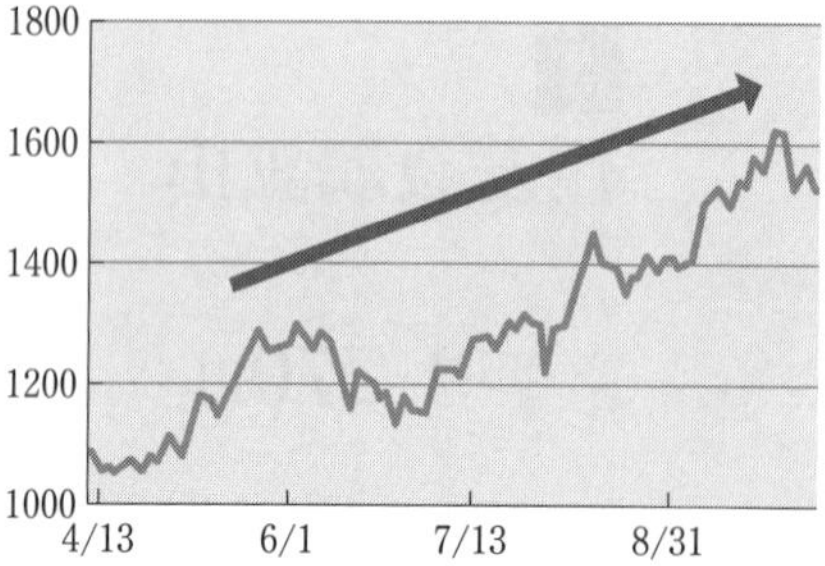

5

アルコニックス

3036
東1
最近の株価 **1,521円**

非鉄金属の専門商社。アルミニウム、銅、レアメタルなどを取り扱う商社流通事業と、金属加工などの製造事業を展開している。1981年に日商《にっしょう》岩井《いわい》の100％出資で設立し、2001年にMBO（経営陣による企業買収）を実施。2005年に現商号に変更した。

商社流通事業のうち、電子機能材事業では、電子部品、化合物半導体、結晶材料や、これらの生産に不可欠なレアメタル（チタン、タングステン、モリブデン、レアアースなど）を取り扱っている。とくにレアメタルは、原料から製品まで一貫して取り扱っているのが、この会社の特徴だ。2021年3月期は売上高2100億円、経常利益40億円と減収減益を見込んでいる。

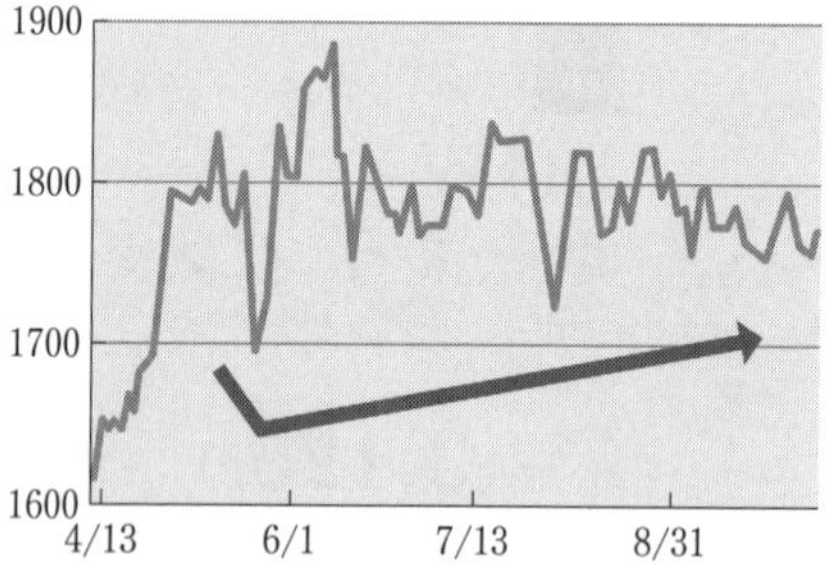

6

日本タングステン

6998
東2
最近の株価 **1,763円**

金属材料製品から産業用機械装置まで、広く提供する材料・部品メーカー。1931年に日本タングステン合名会社を設立。1932年に株式会社に組織変更し、東京電気（現東芝）の傘下に入るが、1948年に傘下から外れた。

電機部品事業は粉末冶金《やきん》技術をもとに、高融点、高密度というタングステンの特性を生かして、自動車や家電の製造に使われる抵抗溶接電極向け銅タングステン合金製品、カテーテル用タングステンリボンなどの金属材料製品を提供する。2020年3月期は売上高116億700万円、経常利益6億7100万円、今期は売上高98億円、経常利益3億6000万円を見込み、2期連続減収減益となる。

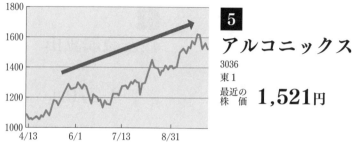

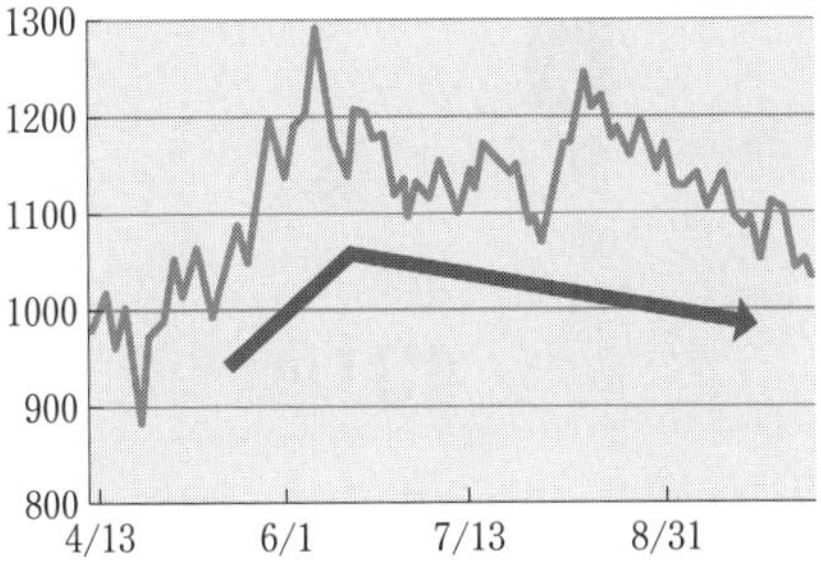

7 日《にっ》揮《き》ホールディングス

1963
東1
最近の株価 **1,034円**

国内最大手のエンジニアリング会社だ。オイル＆ガス分野を中心にインフラ分野も含めて、プラント・施設の設計、調達、建設を手がけている。1928年に日本揮《き》発《はつ》油《ゆ》として設立。1976年に商号を日揮に変更して、2019年に持ち株会社体制へ移行した。

設立以来、世界80カ国で2万件以上のプロジェクトを遂行した実績がある。インフラ分野ではエネルギー(発電プラントなど)、産業(非鉄金属など)、社会(医薬品工場、病院、環境施設など)の各インフラを手がける。グループ会社の日本エヌ・ユー・エスは、海洋エネルギーと鉱物資源に強みがある。2021年3月期は売上高4800億円、経常利益230億円、来期は売上高5410億円、経常利益333億円を見込む。

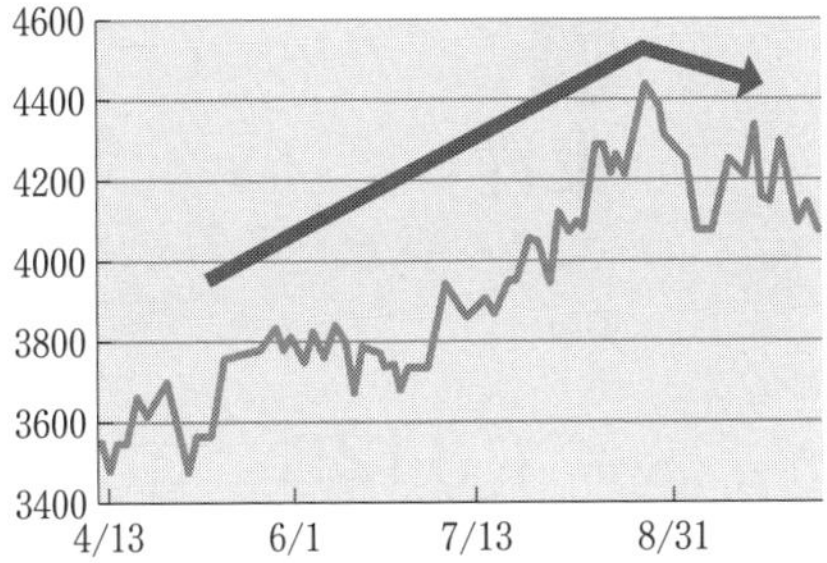

8 日油

4403
東1
最近の株価 **4,080円**

機能化学品事業を中心に、「ライフサイエンス」「電子・情報」「環境・エネルギー」の分野へ多角化を進める。1937年に日本油《ゆ》脂《し》を設立。2007年に現商号に変更した。

21世紀の世界的テーマであり、日本の国家プロジェクトとしても重要な海洋開発分野で、グループ会社の日油技研工業が海洋調査機器の研究開発に取り組んでいる。海底鉱床《こうしょう》の資源量を把握するために必要な柱状《ちゅうじょう》試料の採取装置、海底の機材敷設や回収のための超音波切離《せつり》装置など、最先端の機器を誕生させている。2021年3月期は売上高1687億円、経常利益263億円、来期は売上高1784億円、経常利益289億円が見込まれている。

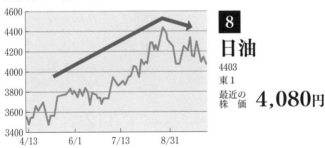

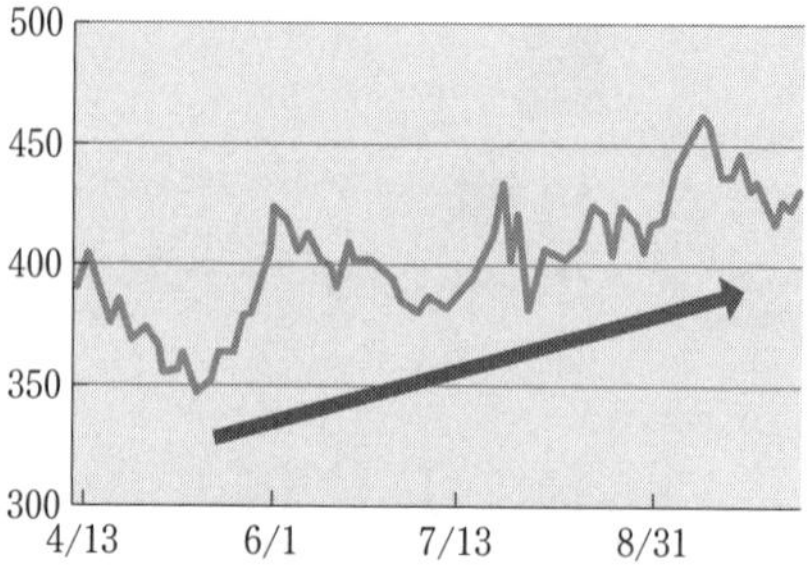

9

鉱研工業

6297
東証JQ
最近の株価 **431円**

ボーリング機械と地盤改良機器のリーディングメーカーで、国内有数のボーリング工事施工会社。日立建機の持分法適用関連会社でもある。1947年に鉱研試錐《しすい》工業を設立して、1987年、現商号に変更した。

掘削《くっさく》のための各種ドリル、岩盤掘削機、地盤改良機、土壌汚染対策機器などを開発、販売する。これらの製品を利用して温泉開発事業や地下水活用事業を行なっている。また、土壌汚染問題を解決するための調査機器の開発や、汚染の調査工事・浄化対策に取り組む環境事業などを手がける。2020年3月期は売上高76億円、経常利益4億1600万円だが、今期の会社予想は発表されていない。

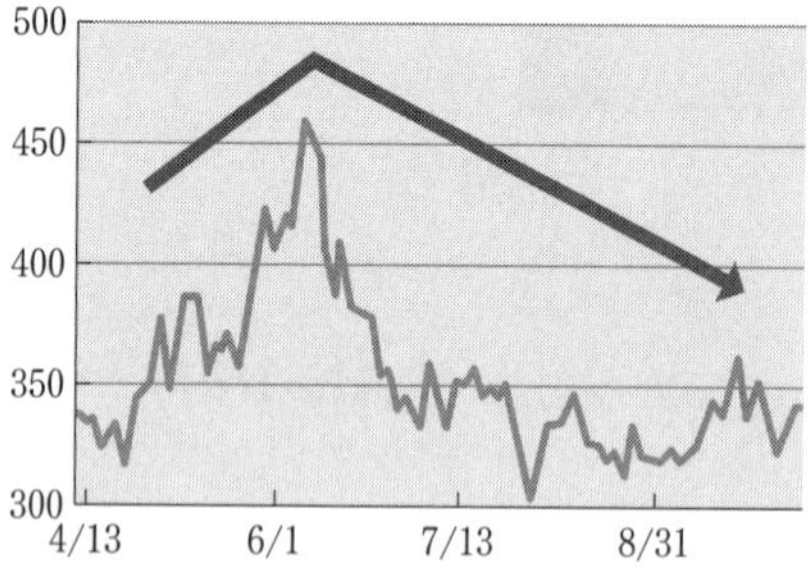

10

東洋エンジニアリング

6330
東1
最近の株価 **342円**

三井系のエンジニアリング会社である。各種産業プラントの設計・機器調達・建設などを手がける。1961年に東洋高圧工業(現三井化学)の工務部門から分離・独立し、設立した。

石油化学と肥料に強く、石油化学分野ではエチレン、各種ポリマー、芳香《ほうこう》族など、肥料を中心とした化学分野では尿素《にようそ》、アンモニアなど、豊富な建設実績を持つ。またエネルギー開発分野では、井戸から石油精製、ガス処理、パイプラインに至るまでプラントを手がける。2021年3月期は、売上高2217億5000万円、経常利益28億5000万円、来期は売上高2385億円、経常利益46億円が見込まれ、2期連続増収増益。

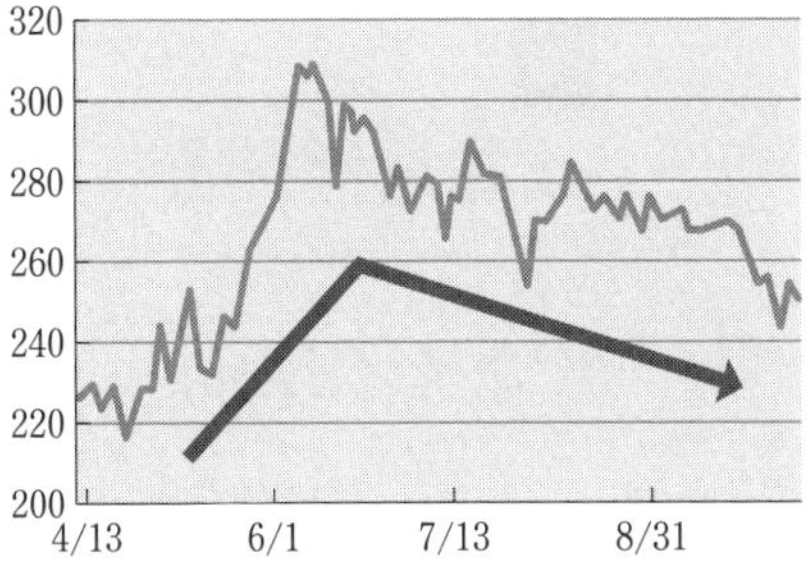

11 千代田化工《かこう》建設

6366
東2
最近の株価 **250円**

LNG(液化天然ガス)に強みを持つ総合エンジニアリング企業。筆頭株主は三菱商事。1948年に三菱石油の工事部門が独立し、設立した。

ガス田から産出された天然ガスを精製後、マイナス160℃以下まで冷却してLNGを作るプロセスプラントや、社会インフラ整備の事業計画から設計・調達・建設、運転・保守まで一貫してサポートする「プロジェクト・ライフサイクル・エンジニアリング」を展開している。2021年3月期は売上高3075億円、経常利益106億2500万円、来期は売上高3775億円、経常利益146億2500万円が見込まれている。

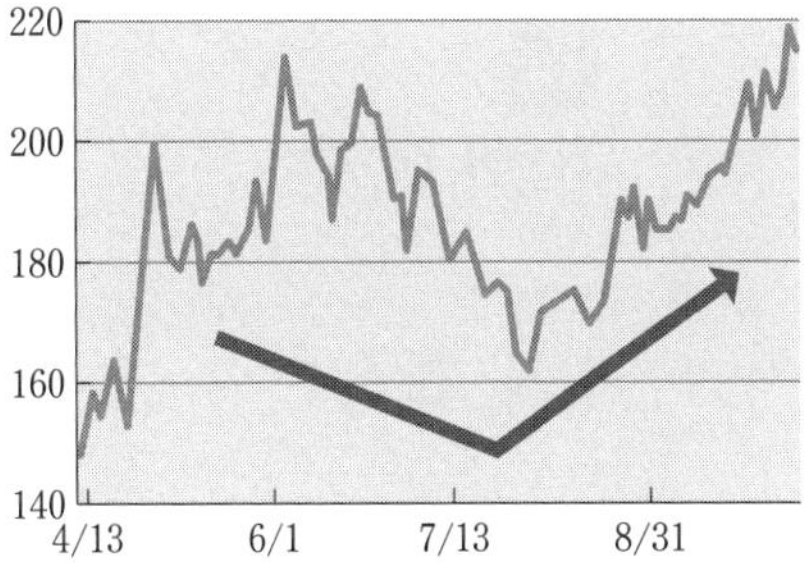

12 岡本硝子《ガラス》

7746
東証JQ
最近の株価 **215円**

特殊ガラスおよび薄膜《うすまく》製品の製造販売会社である。プロジェクター用マルチレンズや反射鏡、歯科用デンタルミラーと、3つの世界シェアNo.1製品を持つ。1947年に設立された。

多数の特許を取得し、「可視光用ガラス偏光子《へんこうし》」は中国、米国、欧州、「水中ビデオカメラ用ハウジング」は米国と欧州、「高耐久性銀ミラー」は台湾など、国内のみならず諸外国の特許も所有している。“産学官金”のプロジェクトにより開発された深海用環境調査の探査機「江戸っ子1号」を製作し、話題を集めた。2020年3月期は売上高54億8800万円、経常利益▲1億8600万円だが、今期の会社予想は発表されていない。

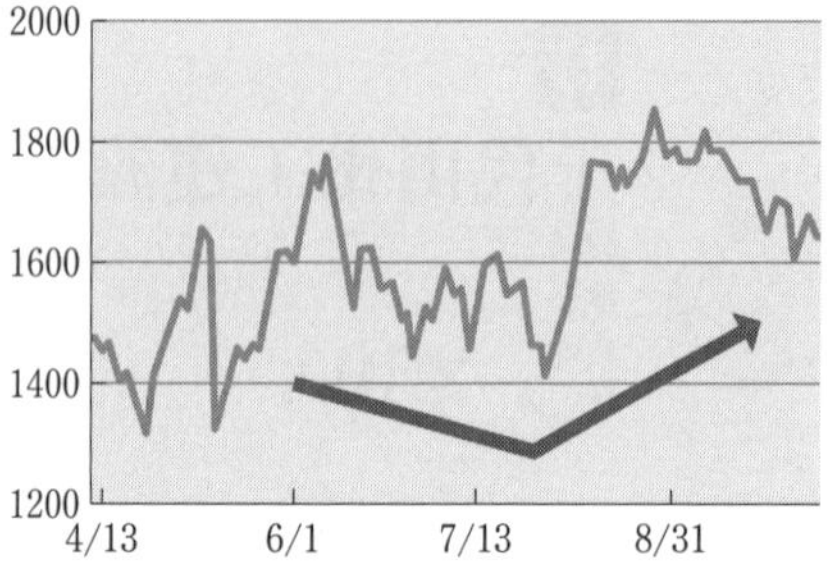

13
三井海洋開発
6269
東1
最近の株価 **1,650円**

海洋油田などに用いられる浮体《ふたい》式海洋石油・ガス生産設備を建造する会社で、三井造船の子会社である。1987年に旧三井海洋開発の子会社モデック・テクニカル・サービスとして設立。1988年にモデックに商号変更し、2003年、現商号に変更した。

かつて産学連携の「レアアース泥《でい》開発推進コンソーシアム」に参画しており、「中期経営計画2020」の中でも「新領域へのR&D投資の継続」として海底鉱物資源開発を戦略のひとつに位置づけている。2020年12月期は売上高2787億3300万円、経常利益▲97億3300万円、来期は売上高3328億円、経常利益185億6700万円が見込まれている。

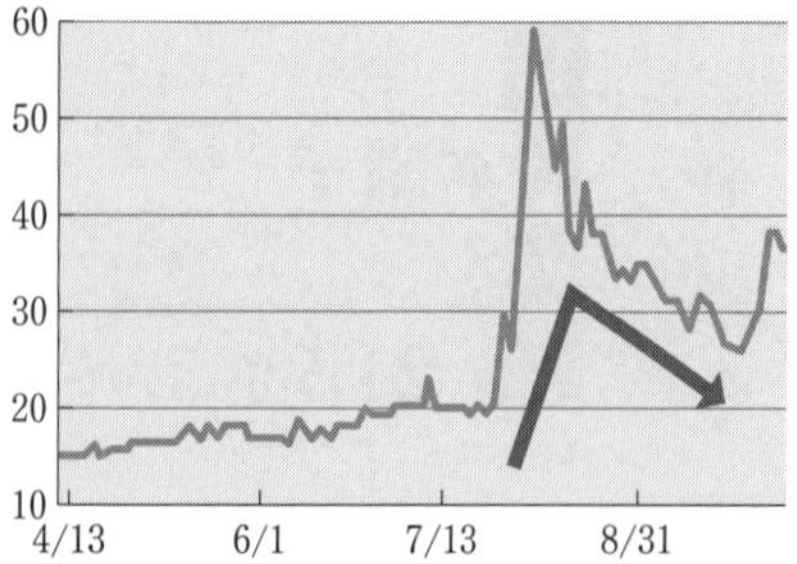

14
中外鉱業
1491
東2
最近の株価 **37円**

貴金属リサイクル事業の売上高が全体の9割以上を占める非鉄金属企業である。住商マテリアルと三菱商事RtMジャパン(どちらも金属資源に特化した専門商社)への売上高が全体の約6割となっている。1932年に金《きん》鉱山の開発を目的として持越《もちこし》鉱山を設立。1935年に持越鉱業、1936年に現商号に変更した。

貴金属リサイクル事業は、全国主要都市に店舗を構え、金やプラチナなどの貴金属原料の仕入れから精製加工・販売まで一貫して行なう。他に不動産事業も利益面で貢献している。2021年3月期は売上高326億円、経常利益▲1億円で、2期連続の増収減益を見込んでいる。

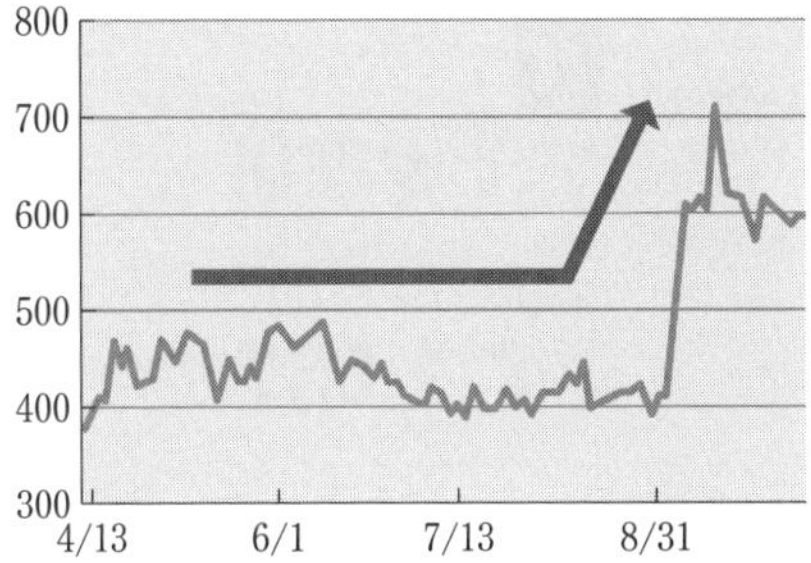

15 リネットジャパングループ

3556
東M
最近の株価 **597円**

国内ではインターネット中古書店「NETOFF」の運営と、使用済み小型家電を宅配回収する事業を行ない、海外事業ではカンボジアで中古自動車の販売・リースなどを手がけている。設立は2000年で、2014年にリネットジャパングループに商号変更した。

リサイクル事業では、2014年1月に小型家電リサイクル法(使用済小型電子機器等の再資源化の促進に関する法律)に基づく国の認定を取得した。これで全国の自治体と提携して、注目される「都市鉱山」のパソコンや携帯電話などを、宅配便を活用して回収するサービスを展開している。2020年9月期は売上高68億9900万円、経常利益2億800万円と減収減益を見込む。

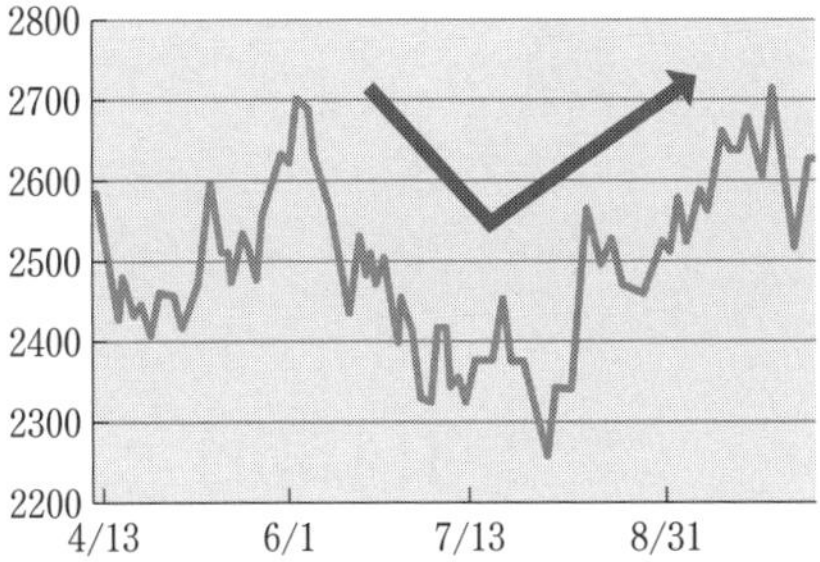

16 大阪ソーダ

4046
東1
最近の株価 **2,628円**

基礎化学品を中心に、ニッチな分野で世界トップクラスのシェアを持つ機能化学品を手がける化学メーカーである。1915年に苛性《かせい》ソーダの製造販売を目的として大阪曹達《おおさかソーダ》を設立。1988年に商号をダイソーに変更、2015年に現商号に変更した。

資源リサイクル事業では、グループ企業のジェイ・エム・アールが、蛍光管・水銀ランプ・放電管・液晶用バックライトなどに含まれる水銀を除去・回収し、ガラス・金属類・プラスチック類などとともに再資源化を行なっている。これは独自の技術である。2021年3月期は売上高970億円、経常利益85億円、来期は売上高1080億円、経常利益105億円が見込まれる。

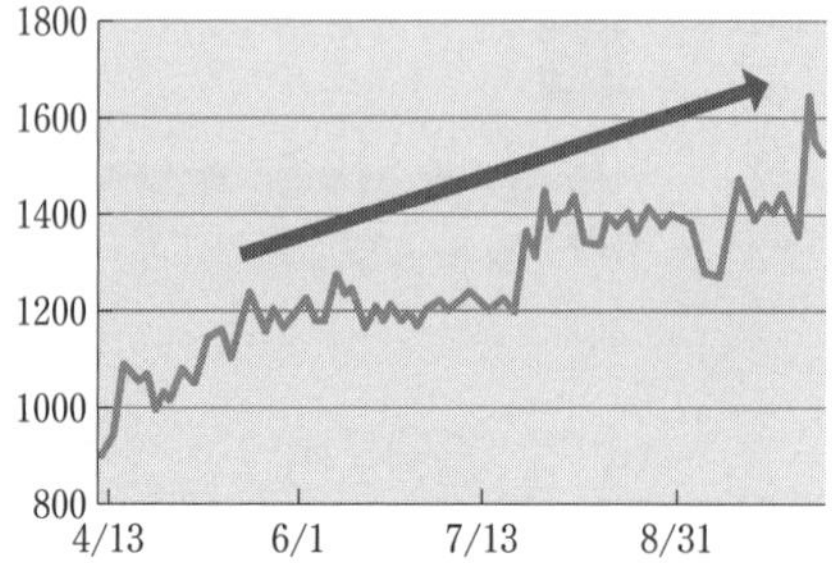

17 アサカ理研

5724
東証JQ
最近の株価 **1,537円**

貴金属回収が主業務である。1969年にアサカ理研工業を設立。1971年に金《きん》の回収技術を開発し、プリント基板からの貴金属回収事業を開始した。2007年にアサカ理研に商号変更した。

廃棄された電子部品など、「都市鉱山」から独自技術で金《きん》、銀、白金、パラジウムなどの貴金属を分離・回収し、返却または販売する。環境事業では、使用済み塩化第二鉄廃液をプリント配線基板メーカーから引き取り、新液として再生するとともに、副産物である銅粉《どうふん》(電子材料に使われる)を回収・販売する。2019年9月期は売上高97億3700万円、経常利益1億3600万円だが、今期の会社予想は発表されていない。

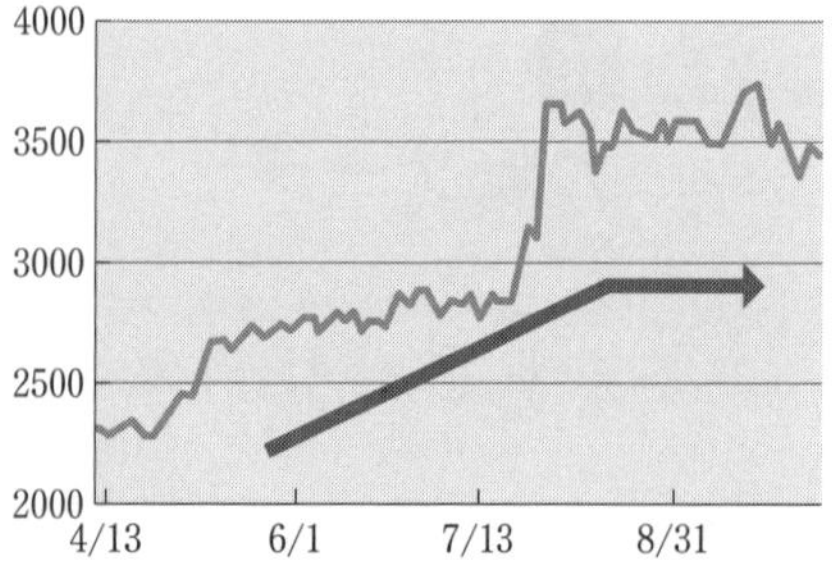

18 アサヒホールディングス

5857
東1
最近の株価 **3,455円**

1964年に出発した貴金属リサイクル会社。同年、アサヒプリテックを設立。2009年に、貴金属リサイクル事業のアサヒプリテックと環境保全事業のジャパンウェイストの持ち株会社として、アサヒホールディングスを設立した。

貴金属事業は、電子材料、歯科材料、宝飾《ほうしょく》流通・製造、自動車触媒の各分野から集荷した、貴金属・希少金属を含有するスクラップを、回収・分離・精錬し、地金製品などとして販売する。環境保全事業では、産業廃棄物の収集運搬や中間処理などを行なう。2021年3月期は売上高1655億円、経常利益210億円、来期は売上高1716億5000万円、経常利益215億5000万円が見込まれ、3期連続増収増益となる。

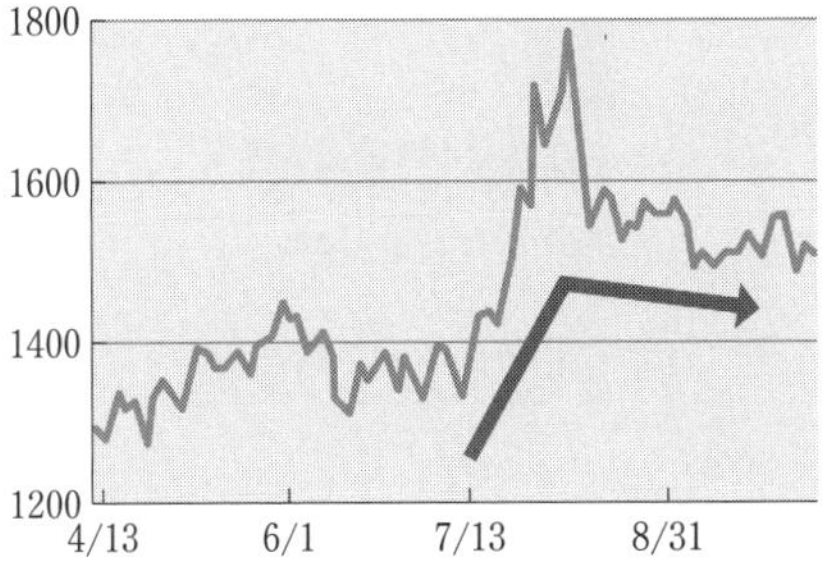

19

松田産業

7456
東1
最近の株価　**1,509円**

貴金属リサイクルなど貴金属関連が事業の中核だ。1956年に食品系の松田商店、1957年に金属製錬の松田商店を設立。1964年に食品系松田商店の商号を松田産業に変更。1978年にマツダ貴金属工業を設立。1992年、経営統合して現商号に変更した。

貴金属関連事業では、半導体や電子部品を製造する工場で規格外となった部品などを国内外のメーカーから集荷し、金、銀、プラチナ、パラジウムなどを回収する。それらを地金《じがね》や半導体、電子材料部材、化成品として製造し、販売する。東アジアに貴金属の集荷ネットワークを構築している。2021年3月期は売上高2060億円、経常利益57億円を見込み、減収減益となる。

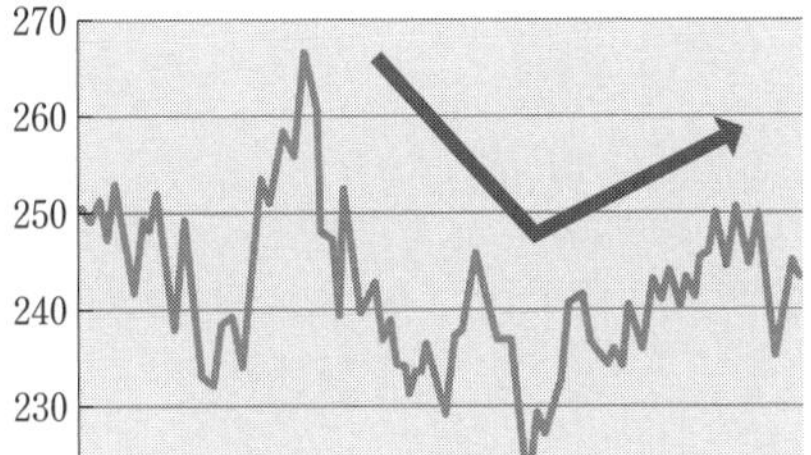

20

双《そう》日《じつ》

2768
東1
最近の株価　**243円**

旧ニチメンと旧日商岩井の合併により、2004年に生まれた総合商社。ニチメンは1892年に日本綿花《めんか》として創立し、繊維関連を中心に業容を拡大した。日商岩井は1928年に日商として設立され、1968年に同業の岩井産業と合併して日商岩井に商号変更した。

金属・資源事業では、石炭、鉄鉱石、ベースメタル、レアメタル、インダストリアルミネラル（産業用鉱物）などの金属資源や鉄鋼分野において、上流権益投資（資源の採掘の段階で投資をすること）やトレーディング、新規の安定収益事業に取り組んでいる。2021年3月期は売上高1兆5777億円、経常利益451億円、来期は売上高1兆6922億円、経常利益648億円が見込まれている。

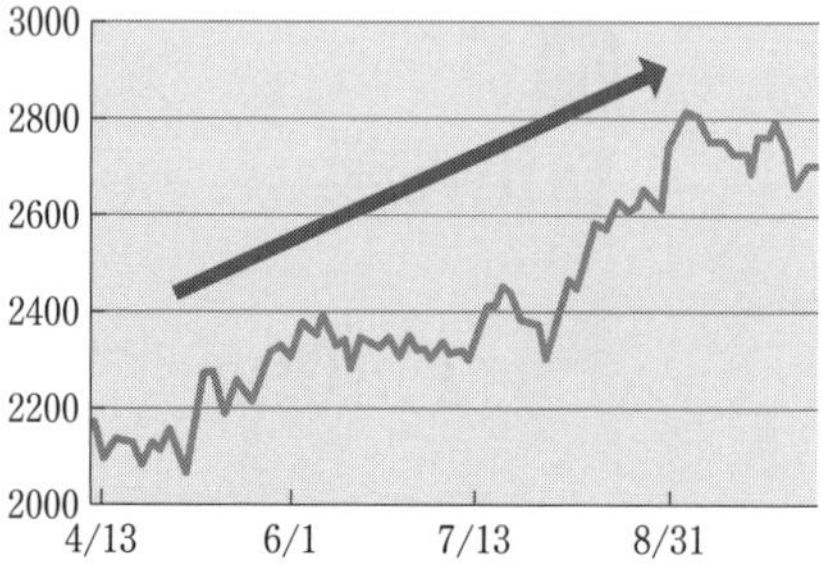

21 伊藤忠商事

8001
東1
最近の株価 **2,701円**

1914年に伊藤忠合名会社として設立した。1918年には伊藤忠商事、伊藤忠商店(後の丸紅《まるべに》商店)を設立。1949年の「過度経済力集中排除法」により4社に分離し、伊藤忠商事として再発足した。

鉱物資源分野では、2011年に伊藤忠鉱物資源開発を100%子会社として設立した。この会社で、鉄鉱石や石炭開発事業、銅・亜鉛などのベースメタルやレアメタルの探査・開発といった、新規分野での上流権益獲得を目指している。2021年3月期は売上高10兆3490億8800万円、経常利益5969億円、来期は売上高10兆9139億8800万円、経常利益6491億5000万円が見込まれている。

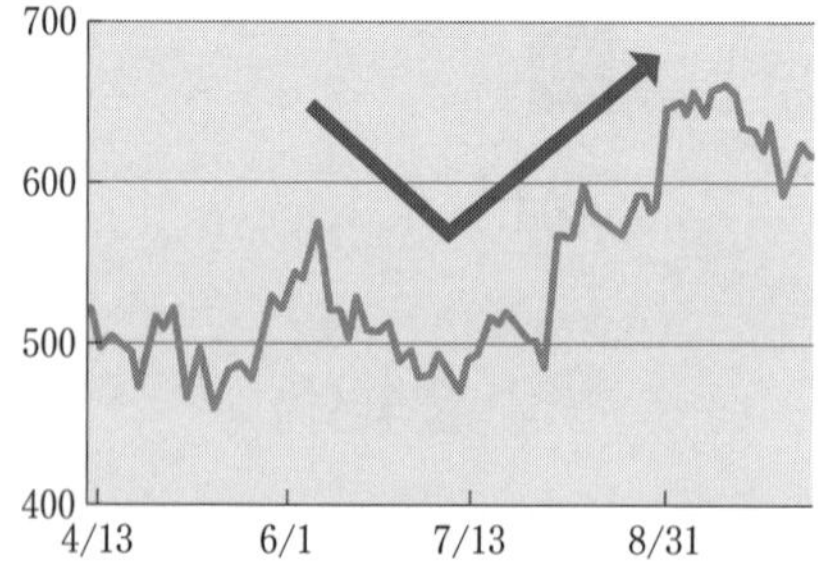

22 丸紅

8002
東1
最近の株価 **619円**

㉑の伊藤忠商事の沿革で述べたように、原点は1914年に設立の伊藤忠合名会社である。それが戦後の1949年、前述した過度経済力集中排除法により、丸紅として再発足した。

資源・エネルギー分野では銅の上流権益が強みである。現在、チリ銅鉱山事業において日本企業トップクラスの15万トンの持分《もちぶん》権益(銅地金に換算した量)を保有しているが、さらなる資産価値の向上を目指している。2021年3月期は売上高6兆1265億5000万円、経常利益1818億8600万円、来期は売上高6兆5137億円、経常利益2299億4300万円が見込まれている。

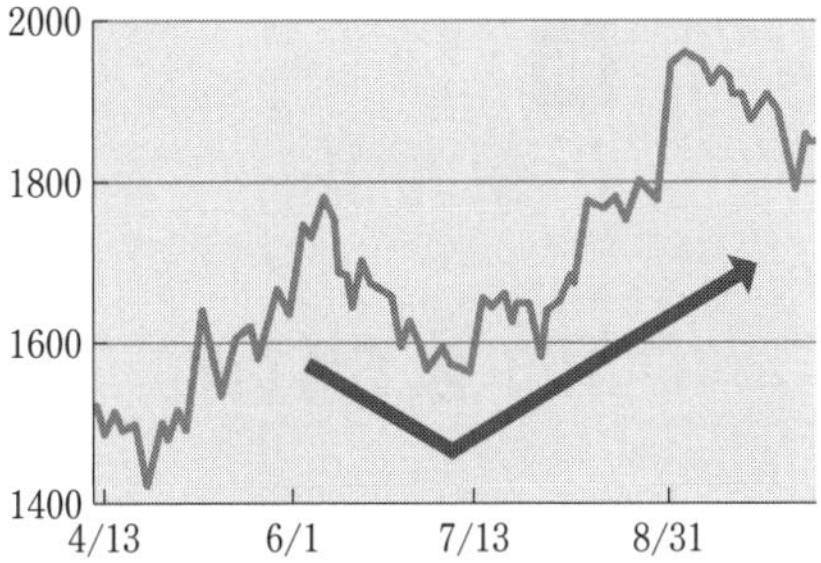

23 三井物産

8031
東1
最近の株価 **1,849円**

1876年に旧三井物産が誕生した。戦後の財閥解体で1947年に解散後、1959年に旧グループ会社が大合同し、現商号に変更して、再スタートした。

資源・エネルギーの上流権益に強く、鉄鉱石、原油・ガスで国内トップである。鉄鉱石ではオーストラリアのリオ・ティント、およびBHPビリトンとの事業などを継続的に拡大し、鉄鉱石持分生産数量は年産5780万トンに達する。原油・ガスの量は1日当たり25.9万バレルである。2021年3月期は売上高6兆1154億8800万円、経常利益3759億4400万円、来期は売上高6兆3915億6300万円、経常利益4783億5600万円が見込まれる。

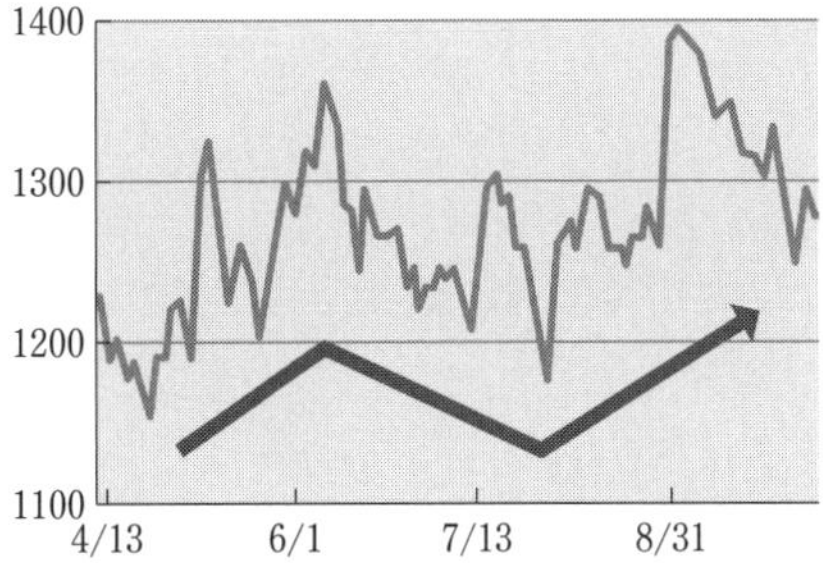

24 住友商事

8053
東1
最近の株価 **1,280円**

1919年に大阪北港《おおさかほっこう》株式会社として設立され、大阪北港の修築事業を手がけた。1945年に商事部門に進出し、日本建設産業に改称。1952年、現社名に商号変更した。

住友のルーツは愛媛県にあった別子《べっし》銅山の経営だが、銅事業は現在の住友商事にも重要な分野である。日本に輸入する銅精鉱(銅鉱石を処理して純度を高めた銅の原料)のおよそ3割を取り扱っている。また、海外の銅鉱山6カ所に出資している。2021年3月期は売上高4兆6795億2000万円、経常利益▲1101億8300万円、来期は売上高5兆1039億4000万円、経常利益2542億3300万円が見込まれる。

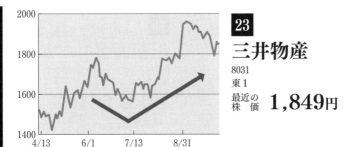

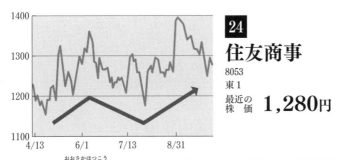

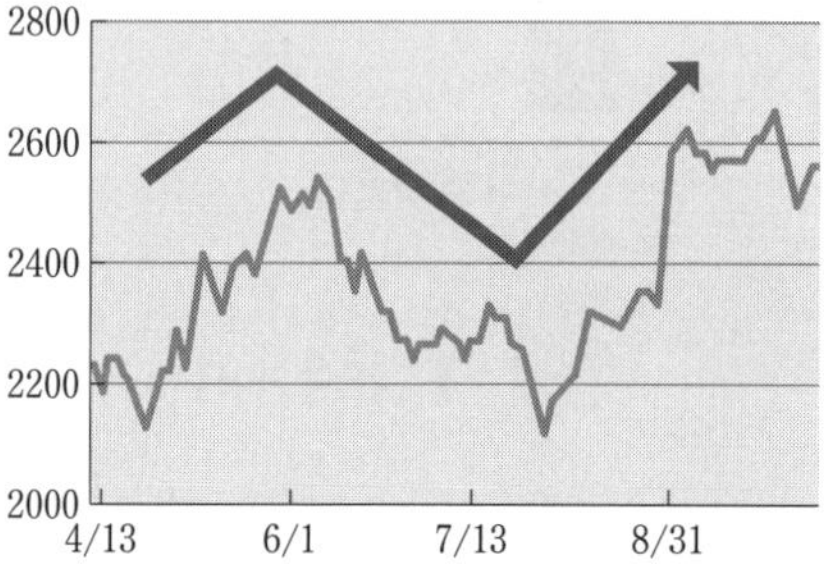

25

三菱商事

8058

東1

最近の株価 **2,561**円

日本の総合商社のトップである。1918年に三菱合資《ごうし》会社営業部が独立して発足。1947年に解散後、1950年に清算会社として光和《こうわ》実業が設立。この光和実業が2社と合併し、1954年に三菱商事となった。

資源関連事業(石炭、銅、LNGなどの上流権益の保有、トレーディング)に強い。オーストラリアで資源メジャーのBHPビリトンと展開する原料炭事業は、年間生産能力が6300万トンに達する。銅の持分生産量は23.8万トン。原油・ガスの上流持分生産量は1日当たり24.1万バレルである。2021年3月期は売上高12兆5852億円、経常利益3142億8600万円、来期は売上高14兆1904億円2900万円、経常利益5384億1400万円が見込まれる。

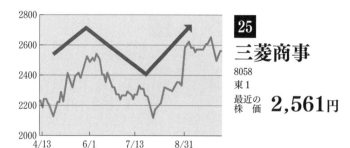

金《きん》とドルは光芒《こうぼう》を放《はな》ち 決戦《けつせん》の場《ば》へ

令和２年11月10日　初版第１刷発行

著　者　副《そえ》島《じま》隆《たか》彦《ひこ》

発行者　辻　浩明

発行所　祥《しよう》伝《でん》社《しや》
〒101-8701
東京都千代田区神田神保町3-3
☎03(3265)2081(販売部)
☎03(3265)1084(編集部)
☎03(3265)3622(業務部)
印　刷　堀内印刷

製　本　ナショナル製本

ISBN978-4-396-61743-1 C0033　Printed in Japan

祥伝社のホームページ・www.shodensha.co.jp
©2020 Takahiko Soejima

本書の無断複写は著作権法上での例外を除き禁じられています。また、代行業者など購入者以外の第三者による電子データ化及び電子書籍化は、たとえ個人や家庭内での利用でも著作権法違反です。

造本には十分注意しておりますが、万一、落丁、乱丁などの不良品がありましたら、「業務部」あてにお送り下さい。送料小社負担にてお取り替えいたします。ただし、古書店で購入されたものについてはお取り替え出来ません。

副島隆彦の話題作

2019年刊

米中激突恐慌

板挟みで絞め殺される日本

The US-China Hegemonic Cold War

祥伝社